THE BEST BOOKS OF THE
WORLD'S JUVENILE LITERATURE

世 界 少 年 文 学 精 选

Tangmu Suoya Lixianji

汤姆·索亚历险记

[美] 马克·吐温　原著

王梦梅　改写

北 京 出 版 社

图书在版编目（CIP）数据

汤姆·索亚历险记/〔美〕马克·吐温/原著；王梦梅/改写
—北京：北京出版社，1996.9
（世界少年文学精选）
ISBN 7－200－02964－5

Ⅰ.汤… Ⅱ.①马… ②王… Ⅲ.世界文学名著—少
年版 Ⅳ.I287.5

中国版本图书馆 CIP 数据核字（96）第 09799 号

著作权合同登记号
图字：01－96－0289
1996 年中文简体字版由台湾东方出版社
股份有限公司授予北京出版社出版发行

汤姆·索亚历险记
TANGMU SUOYA LIXIANJI
〔美〕马克·吐温/原著 王梦梅/改写
＊
北 京 出 版 社 出 版
（北京北三环中路 6 号）
邮政编码：100011
网 址：www．bph．com．cn
北京出版社出版集团总发行
新 华 书 店 经 销
北京颐园印刷有限责任公司印刷
＊
850×1168 32 开本 8.25 印张 130 千字
2003 年 5 月第 2 版 2003 年 5 月第 1 次印刷
印数 1－3 000
ISBN 7－200－02964－5
I·341 定价：12.00 元

TANGMUSUOYALIXIANJI
汤姆·索亚历险记

马克·吐温

> 汤姆心想，糟了，每次被叫出本名的时候都没有好事，是不是又要挨老师的教鞭？他立刻就好像从得意的颠峰跌了下来，扫兴万分。

"美国文学中的林肯"

马克·吐温像

　　马克·吐温在文坛上拥有巨大的声誉，被称为"美国文学中的林肯"。马克·吐温出生于美国密西西比河畔小城汉尼拔的一个乡村贫穷律师家庭，从小就出外拜师学徒，从事过各种各样的工作，当过排字工人、密西西比河上的领航员、士兵，还经营过木材业、矿业和出版业。

　　马克·吐温的本名叫克雷门斯，马克·吐温是他的笔名，意思就是"水深十二英尺，船可以通过"。这本来是一句水手常用的行话，作家拿它来做笔名，可见他是一个非常幽默的人。

密西西比河

　　密西西比河是北美洲大陆上流程最远、流域面积最广、水量最大的河流。"密西西比"是印第安人的称呼，意思是"大河"或"众水之父"。密西西比河的航运价值很大，除干流外约有五十条支流可以通航，流域内还有多条运河与五大湖及其他水系相连。当然，密西西比河不单是一条具有航运价值的河流，马克·吐温的一枝生花妙笔更是让它的名字为更多的人熟知，包括小孩子——因为他们记得汤姆和夏克的有趣经历，就和这条河密切相关。

密西西比河风光

《汤姆·索亚历险记》：追忆童年

马克·吐温不但是一位善于抨击社会现实的作家，也是一个充满了纯真的童心童趣的人。他对黑暗的社会往往毫不留情地批判，对纯真美好的心灵又总是那么欣赏和喜爱。马克·吐温对自己的童年时代，有着美好的回忆，并且还把它表现在作品当中。《汤姆·索亚历险记》中的好多情节，可以说都是他童年趣事的翻版。他以亲切随和的口吻，细腻传神地塑造出一个诡计百出又活泼贪玩的小男孩生活的世界。读着这样的作品，我们也仿佛看到了马克·吐温的童年时代。那聪明、淘气、善良的汤姆的一举一动，都包含了作家的回忆，也使我们在故事的阅读中露出会心的微笑。

小镇的骄傲：马克·吐温

马克·吐温的故乡汉尼拔位于密苏里州东北部，是密西西比河沿岸一个一万人的小镇，是他少年时期成长的地方。其实这个小镇，我们在《汤姆·索亚历险记》里面也完全可以看出来是马克·吐温故乡的影子，那些人物、房屋，好像都包含了马克·吐温对童年的回忆。

这座小镇上有马克·吐温的儿时故居，还有马克·吐温博物馆、马克·吐温号轮船、汤姆铜像和马克·吐温洞等以他为名的观光地点。马克·吐温号显得很有气派，三层式的船舱，木质的甲板阳台，笔直的烟囱。船票在码头旁的小木屋里出售，这里还出售很多纪念品。小镇南边的马克·吐温洞是一个像迷宫的天然洞穴，你可以想像得出汤姆在这个洞穴里冒险的场面吗？

马克·吐温童年居住的小屋

马克·吐温在密西西比河上的生活

《哈克贝里·费恩历险记》初版插图

马克·吐温的杰作很多取材于童年生活，尤其是他在密西西比河上的生活。他在一八七五年为《大西洋月刊》写的《密西西比河上》就是以早年的舵手生活为题材的。长篇小说《汤姆·索亚历险记》和《哈克贝里·费恩历险记》（又译《夏克伯利·芬历险记》）也以密西西比河及河边小镇为背景。马克·吐温的家乡汉尼拔镇就在美国的密西西比河畔，在他的生活经历和文学作品里，这条河都有着特殊的意义。

在中国已经七十岁的《汤姆·索亚历险记》

《汤姆·索亚历险记》剧照

对于广大的小读者来说，《汤姆·索亚历险记》和《哈克贝里·费恩历险记》都是他们非常熟悉的文学作品，也深受他们喜爱。原因很简单，这两部作品里的主人公都是和他们年龄相仿的孩子，他们的心理活动和经历都显得那么亲切有趣。不单是我们现在的孩子，中国的小读者在七十年以前就已经读到了翻译成中文的《汤姆·索亚历险记》，这么算起来，这部作品在中国已经有七十岁了，可以算是一位白发苍苍的老人了。但是，小说里面的汤姆却是个孩子，永远那么调皮、可爱，是让每一位读者由衷喜爱的人物形象。

TANGMUSUOYALIXIANJI

幽默大师：
国会议员有一半不是混蛋！

马克·吐温的幽默在全世界都是有名的，他常常犀利地讽刺丑恶的社会现象。有一次因为看不惯国会议员在国会通过某个法案，因此在报纸上刊登了一个广告，上面写着："国会议员有一半是混蛋。"报纸一卖出，许多抗议电话随之而来，这些国会议员可不认为自己是混蛋，纷纷要求马克·吐温更正。马克·吐温于是又登了一个更正启事："我错了，国会议员有一半不是混蛋。"

马克·吐温手迹

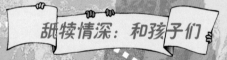

舐犊情深：和孩子们

马克·吐温不单在笔下描写了很多可爱的儿童形象，他在生活中也是一个热爱儿童，对自己的女儿分外慈爱的好父亲。马克·吐温有三个女儿，家庭中充满了温馨的天伦之乐。从女儿开始懂事那一天起，他就让她们坐在自己的椅子扶手上给她们讲故事。马克·吐温虽然可以毫不费力地编出一段生动的故事来，但是每次他都非常认真，从不敷衍，按孩子们的要求讲述各种生动有趣的故事，常常逗得她们哈哈大笑。在这个家庭里，父母和女儿之间始终保持着一种平等、民主和相互尊重的关系，洋溢着和睦融洽的气氛。父亲从来不摆出一副长辈的架子，从不训斥女儿。但孩子有了过失的时候，马克·吐温也决不随便迁就，而是让她们记住教训，不再重犯。

马克·吐温

图文资料提供：李 娟

序 ● 王梦梅

令人废寝忘食的故事

这一部《汤姆·索亚历险记》是美国大文豪马克·吐温以美国少年生活为主体写成的。故事的时代背景，是十九世纪美国密西西比河的圣彼得堡镇。主要人物汤姆·索亚，可以说就是马克·吐温童年时代的缩影。他回忆童年时代的一切，把它撰写成小说，因此，像逃学啦、给长辈添麻烦啦，都写得非常逼真，令人看来津津有味，甚至废寝忘食，仿佛自己就是汤姆一样。

故事中的汤姆，是个鬼精灵，他和野孩子夏克，各干出许多令人捧腹的妙事。像汤姆被罚粉刷围墙，竟施出诡计，不但使别的孩子心甘情愿代替他工作，还自动奉上谢礼。后来和夏克逃到荒岛去，人们以为他们淹死了，正在教堂为他们举行丧礼，而他们却躲在教堂的钟楼上偷听。这些顽皮的举动，虽然不能给我们作模范，但是，他为了正义，毅然决然地挺身出来做证人，拯救那无辜的罪犯沫夫·彼得；并在顽皮之余，居然和夏克破获了一桩谋杀案，成为众人钦佩的小英雄。这一切都充分表现出美国人爽朗、活泼的性格和冒险、进取的精神。

马克·吐温写完了《汤姆·索亚历险记》以后，接着又写了一本《顽童流浪记》。这一本书，好像是《汤姆·索亚历险记》的续集，汤姆在这一本书里，也曾出尽了风头。

假如你让美国少年举出美国人所写的最著名的十本少年读物，他所举的十本书里一定有《汤姆·索亚历险记》和《顽童流浪记》。如果只让他举出两本的话，他一定会回答是这两本。假使再问他，其中哪一本最有趣，他会毫不迟疑地告诉你，就是这本《汤姆·索亚历险记》。

人物介绍

汤姆·索亚 故事中的主角。早年父母去世,寄养在莎丽姨妈家里,是一个天真、活泼而又顽皮的典型美国少年。

席德 汤姆的异母弟。老实守规矩。他和汤姆虽然很友爱,但有时也不免在莎丽姨妈面前搬弄是非。

莎丽姨妈 一位心地善良的老太太。为了教管汤姆和他弟弟席德,着实费了不少心血。

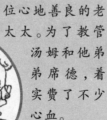

玛莉 汤姆的表姐。她最感头痛的事,是每个星期日要留心汤姆,将他浑身上下打扮整齐干净,以便带他出门。

夏克伯利·芬 虽然是个流浪儿,但为人乐观、有趣。孩子们都对他有好感、喜欢和他接近。父亲是个酒鬼,从未管教过他。

班恩·洛杰斯 汤姆的玩伴。有一次曾经受汤姆的骗,以一个苹果向汤姆换来粉刷围墙的工作。

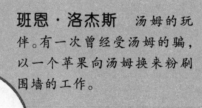

乔奇·哈勃 汤姆的要好朋友。曾经和汤姆及夏克到杰克逊岛上做海盗的游戏,大家都以为他们已溺死,竟为他们举行追悼会。

杜森 汤姆的小学老师。常利用课余之暇研读医学,同学们都不知道他在研读什么,猜测纷纷。

蓓琪 萨其尔大法官的女儿。比汤姆小两三岁,曾和汤姆在一个岩洞里迷失了整整一昼夜,后来由于汤姆的智慧和勇气才得脱险。

萨其尔大法官 本故事中地位最高的人物。当他到主日学校参观时,汤姆为了博得他的称赞,反而弄巧成拙。

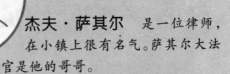

杰夫·萨其尔 是一位律师，在小镇上很有名气。萨其尔大法官是他的哥哥。

沫夫·彼得 爱喝酒的工人。在酒醉中被人陷害，变成了杀人的嫌疑犯，后来由于汤姆挺身作证，救了他一命。

卓依 印第安人和白种人的混血儿。本性凶恶，曾五度杀人，后来被关在岩洞里，因饥饿而死。

罗宾逊 骨科医生。为了解剖用的尸体而挖掘人家的坟墓，被卓依杀死。

钟斯老人 为人热心诚恳。当夏克向他求救时，立刻带着两个儿子前去找卓伊。

道格拉斯太太 治安法官的遗孀，和蔼可亲。夏克救了她的性命，后来她便收养了夏克，教育他成为一个好孩子。

目录

第 一 章

● 莎丽姨妈

"汤姆，汤姆，汤姆啊——"

怎么没人回答。

"奇怪，刚才还在这里的，准又藏起来了。"

莎丽姨妈把老花眼镜推上拉下地向屋子里张望着。

"这一回要是被我抓到，看我不把你……"

她一面自言自语一面弯下腰，拿起扫帚在床底下扒拉。但是，从床底下跑出来的不是汤姆，却是一只猫。

她走到敞开的正门前，向远处提高嗓门儿叫道："汤姆！"

这时，听到背后咕咚一声。她回头一看，竟是汤姆，连忙把他抓住了。

"你又跑到厨房去了。你在那儿做什么？"

"没做什么！"

"还敢说没做什么！看你的手和嘴角，还沾着果酱呢！我不是告诉过你，不许偷吃果酱吗？把鞭子拿过来！"

汤姆把鞭子拿在手里，向空中挥舞着，眼看大祸就要临头了。

"姨妈，快看看您的背后吧！"

莎丽姨妈刚转过身去看，汤姆立刻跳过那道高木板围墙，一溜烟似地逃走了。

莎丽姨妈站在那里惊愕了片刻，随后忍不住地轻声笑了起来。

"呵呵，呵呵，真是个鬼精灵！"

实在说起来，莎丽姨妈经常被汤姆逗得啼笑皆非，但因为汤姆天真烂漫，莎丽姨妈倒并不讨厌他；何况他又是去世的妹妹的孩子，所以总狠不下心来打他。不过，太姑息了又怕把他惯坏，就不得不偶尔吓唬吓唬他。

莎丽姨妈心想，今天他准是又打算逃学了，明天我非教他做点儿事罚他一下不可。一到星期六，别的孩子都可以快快乐乐地玩儿，唯有他要做事，那是最有效的处罚办法。

果然不出姨妈所料，汤姆不但逃了学，而且还玩了个痛快。他回到家的时候，家里雇用的小黑人吉姆已经把明天要用的木柴快劈完了，所以也用不着他帮忙了。

汤姆的异母弟弟席德是个乖孩子，也早已把他份内应做的事做完了。

晚餐的时候，莎丽姨妈故意问：

"汤姆，今天学校很热吧！"

"是的，快热死我了。"

"那么，你没想去游泳吗？"

汤姆一听到这话，不由得吓了一跳。说真的，他整个下午都逃学到河边游泳去了。

这可不能大意，姨妈好像是在绕着圈子想套出真话来。

"不，姨妈，天气虽然热，我可没想到要去游泳。"

姨妈一面伸出手来摸了摸汤姆的衬衫，一面说：

"天气虽然热，你的衬衫倒很干呢！"

姨妈摸到他的衬衫，竟是干的，并没有汗水，不免有些疑心。不过汤姆却猜透了姨妈的心思，觉得有些不妙，赶紧掩饰说：

"刚才我跟几个朋友到抽水机那边冲了冲头，好凉快呀！您摸摸看，我的头发还湿着呢！"

"可是，汤姆，水淋在头上，总用不着拆下我在衬衫领子上缝的线吧！把钮扣解开！"

汤姆这才放下心来，他解开上衣，衬衫领子还是缝得好好的！

"哦！还好，我以为你一定又逃学去游泳了，差一点儿错怪了你。"

汤姆正暗自得意，不料他的弟弟席德从旁插嘴

道：

"不过，姨妈，我记得您在他的领子上缝的是白线，现在怎么变成黑线？"

"哇，可不是，我是用的白线呀！汤姆！"

汤姆的诡计立刻暴露了。

现在除了逃跑以外，别无办法可想。当他飞也似地逃到大门口时，转过身来说：

"好，席德，你记住！我迟早要和你算帐！"

汤姆跑到老远的地方，才把别在上衣翻领里面的两根大针拿下来看，一根带着白线，一根带着黑线。

"要不是席德多嘴，姨妈根本就看不出来。有时候她用白线缝，有时候她又用黑线缝，我真希望她永远使用一种线。

"席德那个家伙也太可恶了，我早晚要教训他一番。"

● 粉 刷 围 墙

快乐的周末又到了。在美国，每逢星期六学校总是放假的。

夏天一到，到处呈现一片蓬勃清新的气象。槐树上盛开着花儿，发出阵阵馥郁的幽香。远远望去，那卡狄夫山上铺满了新绿，宛如梦中的仙境！

每个人的心头都洋溢着无限的欢愉,尤其是年轻人,步伐轻松,嘴里不断地哼着歌儿。

但这一天对汤姆来说,却是被姨妈处罚劳动的日子。

汤姆提着一桶刷墙壁用的白色粉漆,拿着一把长柄的刷子,来到了家门前的人行道上。

那木板建造的围墙有两公尺高,三十公尺长!

汤姆望了围墙一眼,不禁叹了一口气,懒懒地拿起刷子蘸上粉漆,先沿着一排排的木板刷过去,刷完了,又重复地刷了一遍,然后他把刷过的那一排,和那没有刷的广阔围墙比了一比,就垂头丧气地坐在木桶的盖子上。

这时,小吉姆提着水桶,嘴里哼着小调儿,往水井那边跑了去。

在汤姆的心目中,本来认为提水是一件苦差事,可是他现在不这样想了;因为那里有很多玩伴,当大家轮班等候着抽水的时候,一来可以交换玩耍的东西,二来又可以打打闹闹。

同时,他还想,抽水井虽然只有一百米的距离,吉姆却从来没有在一个钟头以内把一桶水提回来过;就是这样,通常还得有人去催他才行。如果能和他交换一下工作,倒也不错!

"喂,吉姆,你替我来刷墙,我替你去提水好吗?"

吉姆听了他的话，却摇摇头说：

"汤姆少爷，不行的。老太太叫我赶快去打水，不许在路上玩。她早就料想到汤姆少爷会叫我刷墙的，特别吩咐我，只要把自己的事做好，千万不要理你。她还说，等一下要亲自来看你刷墙呢！"

"咳，吉姆，不要听她的话，她总是那样说。快把水桶给我，我很快就回来，她绝不会知道的。"

"不，汤姆少爷，我可不敢，老太太知道了会揍我。"

"哪里，我姨妈吓唬你的。她顶多骂你一顿罢了，让她骂骂有什么关系，既不疼，又不痒。喂！吉姆，我有一件好东西送你，是水晶的弹珠儿。"

被汤姆这样一说，吉姆的心有些动摇了。

"吉姆，亮晶晶的水晶弹珠儿，很漂亮喔！"

"哎呀，真是一颗难得的好弹珠儿。可是，我害怕老太太呀。她……"

"还有，你要是答应我，我把我那受伤的脚趾头也解开来给你看看。"

吉姆终于经不起他的诱惑，放下水桶，接过来那颗美丽的弹珠儿；汤姆解开了他脚上的绷带，吉姆就弯下腰来看他那受伤的脚趾头。

正当这时，从远方传来姨妈的声音：

"吉姆，你还在那里磨磨蹭蹭地做什么？"

就这一声，吓得吉姆连忙提起水桶，朝抽水井那边跑了去。

汤姆也拿起刷子拼命地刷墙，可是不久又厌倦了。他本来计划好今天要玩个痛快的，这样一来一切都落空了。而且那些玩伴经过这里时，少不得又会被他们嘲笑一番。他一想到这一点，心里更是焦急万分。

他下意识地掏出口袋里的全部财产来看，不过是一些陀螺、弹珠儿、弹弓上的橡皮圈……和一些破碎的玩具，如果把这些东西提供出来和别人交换工作，恐怕连半小时也没有人肯答应。

他正在一筹莫展的当儿，心头忽然浮上一条绝妙的好计。

● 诡 计 多 端

稍停，班恩·洛杰斯走过来了。

班恩是最爱讥笑别人的一个孩子，也是汤姆最讨厌的人。但是，这时的汤姆却胸有成竹，镇静地工作着。

班恩嘴里啃着苹果，还不时发出"铃一铃一铃一咕咚一咕咚"有节奏的声音，因为他正模仿着轮船航行的情形。

但是汤姆连看也不看他一眼。

"喂，汤姆，你又遭殃了，是不是？"

汤姆并不答腔，只顾刷他的墙，就像是个艺术家边画边欣赏自己的杰作似的。

班恩走过来和他并排站着。汤姆看了那个苹果一眼，馋得口水直流，但他仍假装很有兴趣地继续工作着。

班恩说：

"喂，汤姆辛苦了。好不容易盼到星期六，你怎么还要工作呀？"

汤姆突然转过身来，装作才看到他的样子说：

"嘿，班恩，原来是你，我还没注意到呢！"

"汤姆，我就要去游泳了，怎么样？你不想去吗？当然喽，你要工作，为了工作是不能去游泳的。"

汤姆装作不懂的样子，看了对方一眼。

"你在说什么工作、工作的？"

"你在这里不停地刷墙壁，不是在做工吗？"

"哦！这个吗？这怎么算是工作，我顶喜欢做这种事呢。"

"哼，算了吧！你的心里当真喜欢这工作吗？"

汤姆手里的刷子一个劲儿刷个不停。

"哼，我为什么不喜欢，难道小孩子有机会天天刷墙壁吗？"

这番话说得很有道理，班恩的嘴也不再啃苹果了，只是用两眼直勾勾地看着汤姆。

只见汤姆很细心地刷过来又刷过去，然后又退后几步欣赏刷的效果如何，接着又在这里抹一下，那里补一下，就好像一个小画家在作画似的。

班恩注视着他的一举一动，越看越感到有兴趣，然后他就说：

"喂，汤姆，让我也来刷刷看。"

汤姆歪着头一想，刚要答应他，可是又改变了主意。

"不行，不行，绝对不行的，我姨妈对这道墙非常注意。这是正对着大街的地方呀！要是后面的围墙，姨妈也许会马虎一点儿，我也就无所谓了。可是，这道墙一定要仔细地刷。我想一百个孩子里面，不，也许一千个孩子里面都找不出一个能够像我这样，把它刷得要多好看就有多好看的。"

"真的吗？汤姆，让我来试试看，哪怕刷一点点也好。"

"班恩，我倒是可以通融的，不过，我那姨妈，唉！吉姆想刷，她不让吉姆刷；席德想刷，她也不给他刷。你想，我是多么受重托呀！要是你刷坏了，我岂不是要挨骂吗？"

"汤姆，不要紧的。我也会像你那般小心地去刷，让我刷刷看，我把吃剩下的苹果给你！"

"哼，你咬过的，我才不要吃！"

"那我把另一个苹果给你。"

汤姆内心求之不得，却装作一脸不情愿的样子，把刷子递给班恩。这只"大轮船"接过刷子以后，就在太阳底下勤奋地工作着，累得满头大汗；可是那位退休的"艺术家"，却坐在附近荫凉地方的大木桶上，吃着那个刚到手的苹果。

同时，他还盘算着怎样利用别的老实人。这时，来来往往的孩子很多，他看中了比利。

"喂，比利，你到哪里去？"

"天气这样好，想去放风筝。"

"放风筝？那不是太辛苦了吗？"

"你说的是什么话，放风筝还会比刷围墙更辛苦吗？是不是班恩可怜你累了，才帮你刷的？"

"哪里，我本来不肯，是他拼命地央求我，我才答应让他刷一会儿的，你不信去问班恩好了。"

比利一听，有些心动了。

"班恩，是真的吗？"

"是的，我这工作是拿苹果向汤姆换来的。"

"那么，你把刷子递给我，让我也来刷刷看。"

"不行，汤姆绝不肯答应的。"

"汤姆，让我替班恩来刷刷看吧！"

比利颇感兴趣地说着。汤姆又故意装作不肯答应。

"汤姆，答应我吧！我把风筝给你。"

于是，汤姆答应把刷围墙的工作让给比利，换来一个完整的风筝；等到他又玩够了的时候，强尼也拿一只用皮带拴着的死老鼠，换得了这个特权。

就这样一个接着一个，一连几个钟头地换下去，汤姆从早上起还是一个穷光蛋，但是到了中午，他就一跃而变为阔佬了。除了前面提过的风筝和老鼠以外，他还得到了十颗水晶弹珠儿、一把残缺的口琴、一块可以透视的蓝瓶子碎片、弹弓、旧钥匙、一段蜡笔、一个白铁皮做的玩具小兵、六个花炮、一个黄铜的门上把手、一个拴狗的环子、一个刀把儿、四个柚子，还有一支手杖。

他一直很开心地坐在那里，看着他们工作，围在他身边的伙伴多得很，而且围墙已经刷过三层粉漆，要不是他的粉漆用完了，恐怕全镇的孩子个个都要让他给弄破产了。

◉ 奖赏一个苹果

汤姆洋洋得意地来到莎丽姨妈面前说：

"我现在可以去玩了吧？姨妈？"

"怎么？又想去玩了，你刷了多少？"

"全都刷完了，姨妈。"

"汤姆，别跟我撒谎，我最讨厌撒谎的孩子。"

"姨妈，我没撒谎，真是全都刷好了。"

莎丽姨妈不相信他的话，就想亲自出去看个明白，只要汤姆的话有百分之二十是真的，她就心满意足了。

当她发现整道围墙不但刷好了，而且还一层又一层地刷得很均匀，甚至连墙角都顾到了，她诧异得睁大了眼睛。

"咦，汤姆，想不到你这样能干！真了不起。所以我说，你只要用心，什么事都能做得很好。"

姨妈丝毫不知内情，再三地夸奖他。

"读书也是一样。可是我却不能不说，你实在很少这样用心过。好了，今天放你去玩吧！"

莎丽姨妈由于汤姆工作勤劳，就带他到厨房，拿了一个最大的苹果奖赏他。

"汤姆，由于勤劳工作得来的奖赏，吃起来一定更有滋味。圣经上说：'不可盗窃'就是说，不论怎样喜欢的东西，也不可以偷偷拿来吃……"

莎丽姨妈正在引用圣经上的话来教训他时，汤姆竟顺手偷了一块油炸饼，塞在口袋里，便急急忙忙走出厨房。他一眼看到席德由外面的楼梯正向二楼走上去，刚好附近的地面上有许多泥块，他便捡起一大块泥块，对准席德丢了过去。

"姨妈，姨妈！哥哥欺负我……"

等到莎丽姨妈听到了席德的声音，赶出来搭救的时候，那一向受姨妈疼爱的席德，早已被打得狼狈不堪了。

"哼，看你以后还敢不敢多嘴！"

汤姆狠狠地说着，便翻过围墙溜得无影无踪了。像汤姆这样调皮的孩童，从来不从大门出入的。

席德在姨妈面前，提醒姨妈他的衬衣领子改用黑线缝上给他惹来麻烦，这笔帐总算算清了，他心里也痛快多了。

汤姆绕过那一排房子，来到他姨妈牛栏后面的一条烂泥巷子里，那里是姨妈抓不到的安全地带。

他连忙又转到十字路口的公园里，在那公园的广场上，按照预先的安排已经有两群孩子集合在那里，准备做"打仗"的游戏。

汤姆是东军的将军，而他的好友乔奇·哈勒是西军的元帅，这两位总司令是不必亲自去参加战斗的。战斗那种事由小兵们去干，像他们做司令的，只要找一块高一点儿的地方坐下，向他们的副官发号施令就可以了。

汤姆的军队经过了一场苦战之后，打了一个大胜仗。双方清点"死伤"人数，交换俘虏，订妥下一次交战的日期后，就整队开走，各自回家了。

◉ 打破了糖罐

那一天晚上，汤姆兴高采烈地回家了。

吃晚饭的时候，为了他用泥块打席德的那件事，着实被姨妈痛骂了一顿，而席德却在一旁吃吃地笑，的确是个讨厌的家伙！

当汤姆伸手去拿糖吃的时候，姨妈就把他的手推开了。

"姨妈，席德拿糖吃的时候，您怎么就不管？"

"席德从来不会像你这样淘气，稍微没注意到你，你就抓糖吃。"

姨妈说完这话，就到厨房去了。席德很得意，表示占了上风，故意把糖罐拿到自己的身旁来，汤姆气得涨红了脸。可是席德拿糖罐时，没有拿稳，一不小心糖罐子掉在地上砸碎了，糖撒了一地。

汤姆见了，乐得几乎跳起来。他暗自想，就是姨妈来了也一声不响，等她问这是谁干的，再揭露出来。那时，模范宠儿就有好看的了。

因此，他一看见姨妈怒容满面地走来，盯着那砸碎了的糖罐子时，几乎忍不住要笑出声来，心想，这一下子可轮到他看热闹了。

可是，想不到姨妈一个巴掌朝自己打了过来。当姨妈那只有力的巴掌又举起来准备再打下去的时候，汤姆大声叫道：

"姨妈，您为什么打我呀？这是席德打破的，不是我啊。"

莎丽姨妈一听愣住了。汤姆盼望她说句话来安慰自己，可是姨妈却说：

"哼，我觉得你挨一下打，也不冤枉！我不在这里，你一定也做了别的坏事。"

莎丽姨妈嘴里虽然这样说，但良心上也不免受到谴责，她怀着极度不安的心情继续织着毛线，却不时用那湿润了的眼睛，看着坐在墙角的汤姆；而汤姆却一直绷着面孔假装在看书，他明知姨妈心里已经后悔，可是他偏当作没有觉察到，但他的两只眼睛也被泪水湿润了。他一眨眼，那泪水就顺着鼻梁流了下来。他也看得出来，姨妈为了向他表示歉意，正想拿食物来哄他。

刚巧这时，汤姆的表姐玛莉回来了。她是在一个星期之前到乡下去的，当她三步并作两步朝着莎丽姨妈扑过来时，房间里的气氛顿时热闹起来。

汤姆失望极了，便站起身来从门里溜了出去。

他走到僻静的河边，河边有一只木筏，这只木筏打动了他的心。他就靠近那木筏的一边坐下来，有时抬起头望着那清凉而深邃的一片流水，有时又低下头来沉思着。

● 假 的 神 童

"汤姆，今天是星期日，你一定要把手脸都洗干净一点儿！"

表姐玛莉端了一脸盆水，连肥皂也拿来了。汤姆把这盆水端到门外，卷起袖子，把肥皂放进水里搅起泡沫，装着洗过脸的样子，再轻轻地把水倒在地下，然后跑到厨房里拿起挂在门后的手巾，使劲儿擦脸。

"洗好了吗？"

"洗好了。"

"汤姆，星期日说谎是不能进天国的，你为什么那样怕洗脸，洗脸又不会痛，水又不会伤人的。"

汤姆被玛莉这样一说，有点儿不好意思。玛莉又重新给他装满一盆水，汤姆一看深深地吸了一口气，开始洗起脸来。他平素很少用肥皂洗脸，当那肥皂水进到眼睛里去时，汤姆大声叫道：

"啊！好痛！玛莉，你还说洗脸不会痛，简直是骗人。"

"哎哟！哎哟！"

玛莉笑着用毛巾替他擦干了脸，再用梳子替他梳理一下头发。

然后玛莉拿出他的一套衣服来，那是汤姆星期日出门时才穿的衣服，已经做了两年了。玛莉替他扣上上装的一排钮扣，再戴上一顶干净的草帽儿。这下子，汤姆可漂亮多了。

汤姆巴不得玛莉忘记叫他穿鞋子，但是他的希望落空了，终于在玛莉再三地劝慰下，他打扮得整整齐齐的。

于是，玛莉带着汤姆和席德一起上主日学校去。汤姆对于上主日学校这件事，最感到不耐烦。

汤姆故意落后一步，在教堂门口遇到了比利。

"喂，比利，你有黄色卡片吗？"

"有的。"

"拿什么东西给你，才肯换给我呢？"

"你想用什么来换？"

"一块软糖和一个钓鱼钩。"

"给我看看！"

汤姆拿出这两样东西来，比利一看很中意，立刻就成交了。

然后，汤姆又用两个水晶弹珠儿换了三张红色卡片，再拿一些小东西换了两张蓝色卡片。别的孩子过来时，他又拦住再买了一些黄、红、蓝的各色卡片，才走进教堂里去。

汤姆这一班学生都是一些捣蛋鬼,他们的老师华尔德先生是个态度严肃而心地善良的人,对于这些顽皮的孩子真是束手无策。

当他们背诵圣经的时候,没有一个能够完全背出来,总是要人从旁一再提示才能勉强地背出来。

如果学生能背出两节圣经,就可以得到一张蓝色卡片;十张蓝色卡片,就可以换得一张红色卡片;而十张红色卡片,可以换一张黄色卡片;有了十张黄色卡片,校长就会发给他一本圣经。

学生们谁也想获得这种荣誉,但是,那必须要背下两千节圣经才能得到。可是,玛莉就得到了两本圣经,那是由于她两年苦读的代价;此外,还有一个德国血统的孩子,曾得了四五本。有一次,他一口气就背下来三千节圣经,由于他用脑过度,最近差不多已变成呆子了。

汤姆的内心,当然渴望得到这种荣誉。但是,如果以正常的途径,他是绝对无法获得的。因此,他才动脑筋使用种种东西,换得了许多卡片。

在华尔德老师讲过一段话之后,镇上的名律师杰夫·萨其尔领着一位衣冠楚楚的中年绅士和一位雍容华贵的太太进来参观。这时,华尔德老师向大家介绍说:

"这位萨其尔先生是本州的大法官,也就是大家

所熟悉的这位杰夫·萨其尔律师的兄长。"

学生们一听说是本州的大法官，立刻就都肃静下来。华尔德老师很想趁着贵宾莅临的机会，表演一次不平凡的盛举，就是颁发一部圣经给学生当作奖品。

有几个出色的学生，虽然拿有黄卡片，但是谁也凑不足规定的数量。那个德国孩子脑筋已变得迟钝，在他来说，那是再遗憾没有的事了。

"你们之中，可有人能凑足十张黄色卡片吗？"华尔德懒洋洋地向学生环视了一周后这样问。但是，并没有人回答。

他似乎觉得毫无希望了。突然，汤姆站了起来，走向华尔德老师身边，说道：

"老师，我有黄色卡片九张，红色卡片九张，蓝色卡片十张，请换一本圣经给我。"

这真是晴天霹雳，老师和同学看了都出乎意外地感到震惊。汤姆的脑子里，真能记住两千节圣经吗？想起来都会令人好笑，但是，他手里所拿的都是学校所发的卡片，这是铁的事实。

于是汤姆被叫到大法官和贵宾那儿去，和他们高高地并坐在一起了。

其他的孩子是多么的妒羡和悔恨！因为他们的卡片都被汤姆用那些弹珠儿、鱼钩、弹弓或旧钥匙换了去；而弹珠儿那些东西，又都是他们替他刷墙时的交换代价，才使他积存下来那么多的卡片。到了此时，大家才明白，他实在是一个诡计多端的骗子，可是后悔已经来不及了。

校长把奖品发给汤姆时，倒也发表了一篇言不由衷的赞美辞。当然那是因为谁也不相信汤姆能背下两千节圣经。

接着，大法官把手摁在汤姆的头上，称他是一个了不起的学生，问他叫什么名字。这孩子结结巴巴勉强地说了一声：

"汤姆。"

"我不是问你的小名，是全名。"

"汤玛斯。"

"这就对了。可是，你还有姓吧？"

这时，华尔德老师从旁说道：

"汤玛斯，把你的姓也告诉大法官吧！说话要有礼貌！"

"我的名字叫做汤玛斯·索亚。"

"嗯，这就对了，真是一个伶俐的好孩子。背两千节圣经可实在不容易！要费多少的时间，才能背诵出来呀！但你也绝没白费工夫，因为知识比任何东西都有价值，大人物和善良的人都是由知识造成的。

"汤玛斯！你迟早会成为一个大人物、一个善良的人，到那时候，你回想起来就会说，多亏小时候在主日学校里，读了那些有益的功课。"

"那么，不用说，你对于耶稣的十二个门徒的名字一定很熟悉喽？能不能把耶稣最初所选定的两个门徒的名字告诉我们？"

只见汤姆满面通红，眼皮低垂，朝着一个钮扣眼一个劲儿用力扭。

华尔德老师急得不知如何是好，可是他又不得不出面说：

"汤玛斯，你回大法官的话呀！不要怕。"

汤姆还在犹豫着。这时，大法官的夫人道：

"小弟弟你不要怕，告诉我好了……"

"大卫和歌利亚！"

汤姆被逼得信口胡说着。

全场哄堂大笑，这假的神童，立刻现出了原形。

● 汤姆病了

每逢星期一早晨，汤姆·索亚心里就很不痛快，因为他认为又要到学校去受一个星期的灾难了。

汤姆躺在床上，开始呻吟起来。

席德并没有被他吵醒，但汤姆却因为呻吟时太过于用力，竟累得上气不接下气。

他歇了一会儿，然后又打起精神，发出一连串的哼声。可是席德不但没有醒，反而发出鼾声来，这一下子汤姆可火了。

"席德，席德!"汤姆喊着，同时还一个劲儿摇晃着他。席德伸了伸懒腰，打着哈欠呆望着汤姆，汤姆就又继续呻吟起来。

"汤姆，汤姆!"

席德叫着他，但汤姆并不回答，只装作一副痛苦的样子。

"喂，汤姆! 怎么回事呀? 汤姆!"

于是他推了推汤姆，很着急地望着汤姆的脸。

"唉，席德，你不要推我!"

汤姆装着奄奄一息地说。

"汤姆，你到底怎么了? 我去叫姨妈来!"

"不，不要管我，也许马上就会好的，不必惊动别人。"

"不叫不行啊! 汤姆，你别这样紧哼呀! 你是什么时候开始痛的?"

"好几个钟头了。哦，你不要摇我，那样会要我的命的。"

"你怎么不早点儿叫醒我? 哦，汤姆，不要再出声了，我心里真难受，到底是怎么一回事呢?"

"席德，我将宽恕每一个人，哼! 哼! 过去你曾做过对不起我的那些事，我都原谅你。要是我死了……"

"汤姆,你别说这样的话,你不会死的,绝不会死的。"

"我将原谅任何一个人,等我死了以后,我那单眼猫和手杖统统送给你……"

汤姆装得非常逼真。

因为,汤姆最不喜欢的是到学校去读书,他现在是假装生病。可是,席德却信以为真,他满面惊慌地奔下楼来,大叫道:

"姨妈,快来,汤姆快要死了!"

"嘎!快要死了?"

"是的,快,快点儿来吧!"

"胡说,我不相信!"姨妈嘴里说不相信,但内心却非常不安,吓得脸色发白、嘴唇颤抖着,连忙带着席德和玛莉冲往楼上,到了汤姆床铺旁喘着气说:

"汤姆,你怎么了?疼成这个样子,好可怜!"

"姨妈!我……"

"快说,你哪儿不舒服,我好去请医生来。"

"啊!姨妈,我那只肿了的脚趾头好痛呀。"

姨妈听了这句话,真是哭笑不得,她这才放心地坐在椅子上,镇静一下说道:

"汤姆,你真把我吓坏了,脚趾头疼有什么要紧,快起来,上学去!"

"姨妈，您年纪大了，缺少最新医学的常识，虽然说是一个脚趾头，如果漫不经心，有一种叫什么病菌来着？医生告诉过我，名字忘记了，只要一发作，说不定两三个星期以后，就会死翘翘了。"

汤姆正在编造着种种理由说下去时，莎丽姨妈趁他不注意捏了他那肿了的脚趾头，等到汤姆发觉大声嚷疼时，已经迟了。

"哎唷，你并不感到怎么疼吧，那不要紧的，不要紧的。"

莎丽姨妈、玛莉和席德都不觉哈哈大笑。

于是，呻吟停止了，脚趾头也不疼了，汤姆有些难为情地说：

"姨妈，刚才我的脚趾头疼得要死，简直使我忘了牙齿是多么疼呢！"

"你的牙齿又怎么了？"

"有一颗牙齿已动摇了，好疼呀！"

"好了，好了，不要再哼哼啦！你把嘴巴张开！嗯，你的这颗牙齿的确松动了，这是要换牙呀，怎么会死？玛莉，你去拿根线来，再到厨房拿一块烧红的木炭给我！"

汤姆慌忙说道：

"姨妈，请不要帮我拔牙，现在已经不疼了，真的是不疼了。我要上学去，不想逃学了。"

"啊，原来你是想装病逃学去钓鱼呀！汤姆，我这么疼爱你，可是你却总不学好，一天到晚耍花样来骗我。"

"姨妈，从此以后，我绝不会再让您操心了。"

但这时拔牙的工具已经齐备了，姨妈用线一端绑在汤姆的那颗牙齿上，另外的一端拴在床柱上，然后，她把那块烧红了的炭突然拿近汤姆的鼻子去，汤姆吓得急忙往后一躲闪，在这一瞬间那颗牙齿就掉下来，摇来晃去地挂在床柱上。

◉ 小镇上的流浪儿

汤姆在上学途中，遇见了夏克伯利·芬。

"喂，汤姆，上学去吗？"

"不用提了，本来是想装病逃学的，不料反而被姨妈拔掉一颗牙。"

汤姆气冲冲地咧开大嘴，让夏克看他拔去牙齿的缺口。

"你为什么总想逃学？像我，想上学读书还办不到呢！"

"傻话，我才羡慕你哩！"

"我有什么可羡慕的？"

"夏克，你可以不去学校和教会，随时都可以去钓鱼和游泳，并且爱玩多久就玩多久，和人打架也不会挨骂，真是开心极了。"

夏克伯利·芬是这小镇的野孩子，他的父亲是个酒鬼，从来不管他，因此他游手好闲，既肮脏又下流，简直不可救药。全镇上的母亲都很痛恨他，她们都限制自己的孩子不得跟他交往。

但是，镇上的孩子却都非常羡慕他，大人不许孩子们和他来往，孩子们却偏爱和他来往，而且都拿他做榜样，希望自己能像他那样放荡不羁。

汤姆也和其他的孩子一样，很羡慕夏克那种无拘无束的生活。莎丽姨妈也曾严厉嘱咐过汤姆，不许他和夏克玩耍，但汤姆一定会找机会和他玩。夏克经常穿大人丢掉不要的衣服，他戴的那顶帽子已经破烂不堪，有一块很宽的新月形帽沿儿挂在上面；那衣服的上装，差不多像一件长外套；裤裆像个口袋似的垂得很低。他随心所欲，天晴时，睡在人家的台阶上；下起雨来，就睡在大空桶里。

"喂，夏克，你手里提着什么东西？"

"死猫。"

"让我看看！夏克。好硬啊！你从哪儿弄来的？"

"向一个小孩子买来的。"

"你拿什么买的？"

"我给他一张蓝色卡片和从屠宰场拿回来的一个

牛的膀胱。"

"你那蓝色卡片,是从哪里弄来的?"

"前两个星期,用一根滚铁环的棍子跟班恩换来的。"

"嘿,可是,夏克,这死猫有什么用处啊?"

"有什么用处?用处可大了。可以治疗皮肤上的疙瘩。"

"怎么样治法?"

"那还不简单。当一个坏人被埋葬的那一天夜里,手提着死猫到他的坟上,等到夜里十二点的时候魔鬼就会出现,有时还不只一个,我们可能看不见他们,但是却可以听到像风一样的声音,那是他们在说悄悄话。当魔鬼挖开坟墓把那坏人的尸体搬走的时候,我便把这只死猫向魔鬼丢过去,嘴里说:'魔鬼跟死人,花猫跟魔鬼,疙瘩,疙瘩,快去跟花猫!'这样一来,不管是什么样的疙瘩都会掉下来了。"

"嗯,听来倒很有道理。你试过吗?夏克。"

"还没有,我刚从赫布金婆婆那里听来的。"

"大概准没错儿,人家都说赫布金婆婆是个巫婆,你要不要试试看?"

"今天晚上,我相信魔鬼就会来取霍斯·威廉那老家伙的尸体。"

"那么,你带我去好吗?"

"当然可以，只要你不害怕。"

"害怕？不至于吧？今天晚上你来找我的时候，就装猫叫声来做暗号好了。"

"好的。不过，你听到了总要回叫一声，不要像上次一样，我一直叫，你的邻居老海斯一边向我这边丢石头，一边还骂说：'多讨厌的疯猫！'我也对他的窗户回敬了一块砖头，可是你千万不要告诉他那是我干的。"

"我不会说的。那天晚上，姨妈死盯着我，使我无法脱身。今天晚上，我一定会答应你。咦，那是什么？"

"蜣螂嘛！"

"你从哪儿抓来的？"

"那边树林子里。"

"夏克，用什么东西你才肯换？"

"我还不想换。"

"算了，一只小小的蜣螂，有什么了不起！"

"哼，到不了手的东西，谁都会说不好。我倒觉得满不错的呢！"

"哼，有什么希奇，我要找的话，一千只也找得到。"

"那么，你为什么不去找？今年我还是第一次看到蜣螂呢！"

"嘿，夏克，用我的牙齿和你换好不好？"

"拿出来看看!"

汤姆从口袋里掏出一个小纸包儿来,很小心地把它打开。夏克用羡慕的眼光看了一会儿,问道:

"这是真牙吗?"

汤姆张开大嘴让他看。

"嗯,对的,上面还沾着血呢!好的,我换给你。"

汤姆拿到了蜣螂,把它放在前几天装过牛奶的盒子里。

他们两个人就各自分手了。两个孩子好像都觉得自己比先前阔气了些。

● 学华盛顿的诚实

当汤姆来到学校时,已经上课好久了。他在外面从窗户窥视教室里的情形,老师正在上公民课。

"各位小朋友,华盛顿在无意中砍断一棵樱桃树,那是他爸爸最心爱的樱桃树。但是华盛顿并不撒谎,照实承认了,那就是华盛顿伟大的地方。若是普通的孩子,怕挨爸爸的骂,尽可以装作不知道,推说不是自己砍的,那是不应该的。所以,我们说华盛顿是一个诚实而勇敢的人。"

"汤玛斯·索亚!"

"有。"

"站到这里来,你为什么又迟到了,老是不按时来上课?"

看到老师那一副可怕的脸孔,汤姆本想撒个谎掩饰过去,但是,想起刚才老师讲的华盛顿那段故事,说不定照实说出反而好些。

"我在路上遇见了夏克伯利,和他谈了一会儿。"

老师把眼睛瞪得圆圆地看着汤姆,不相信他耳朵所听到的话。教室里嗡嗡的声音也静下来了,同学们都替汤姆捏一把冷汗,他们怀疑汤姆是不是发疯了,怎么竟敢把跟夏克伯利在一起的事告诉老师!

"汤玛斯,你再说一遍!"

"遇见了夏克伯利,和他谈了一会儿话。"

"嗯,你可知道夏克伯利是怎样的一个孩子吗?"

"知道,他非常有趣,到处流浪……"

"住嘴!你可知道,你们同学的母亲,都怕你们去跟他接近、被他带坏了吗?他是那样的肮脏、懒惰、无法无天,而你竟会和他在一起。"

"您不知道,夏克伯利实在是个心地善良的孩子。"

"汤玛斯·索亚,你说的什么话!从来没有谁敢说这样大胆的话,我看用普通处罚的方法是不够的。来,向后转!"

早知如此,不该学华盛顿的诚实,编一套谎话蒙混过去不就好了吗？但是，现在后悔也来不及了。

老师用藤条的教鞭抽他的屁股，一直打到累了，才命令他说：

"现在，你去和女生坐在一起。"

于是，同学们的笑声此起彼落，汤姆满面通红，依照老师的话在一个女生旁边的空座位坐了下来。

坐在他身旁的，正好是那个星期日到过主日学校的萨其尔大法官的女儿。汤姆把胳膊放在书桌上，装出看书的样子，一会儿，大家渐渐不再注意他了。

汤姆从口袋里掏出一个桃子，放在身边女孩子的面前，但那女孩子显得有些生气的样子，把它推了回去。

汤姆耐着性子把它放回原处，又在自己的石板上写了几个字：

"请你拿去吃吧，我还有哩。"

那女孩子看了一下写的字，并没有什么表示，后来汤姆在石板上不知又画了些什么，用左手遮住。起初那女孩子假装出不屑一顾的样子，可是好奇是人之常情，踌躇了片刻后便悄悄地说：

"给我看看！"

汤姆把左手抬起来，原来是一幅漫画，画的是河边的一幢房子，房屋上的烟囱正冒着一股袅袅的炊烟。

"啊，你画得真好！"

女孩子称赞着。汤姆感到很得意。

"你会不会画人？"

"怎么不会？"

"那你就画给我看吧！"

汤姆画了一个计时的沙漏，顶上加了一轮满月，在月亮的里面加上鼻子、眼睛，再添上用草扎扎成的四肢，又在伸开的手指中间，配上一把大得可怕的扇子。女孩子说：

"画得太好了，我希望我也能画。"

"那并不难。"汤姆小声地说，"我可以教你。"

"真的吗？什么时候？"

"中午休息的时候。昨天我看见你也去教堂了，你叫什么名字？"

"蓓琪·萨其尔。你呢？啊，我知道，你叫汤玛斯·索亚。"

"那是我挨打时候的名字。我乖的时候，人家都叫我的小名汤姆。"

"你刚才被打得很厉害，还疼吗？真可怜！"

"没什么，我不过是学华盛顿，勇敢地说出实话罢了。"

就在这个时候，突然有人用手指头揪着他的耳朵，把他提溜起来绕过整个教室，再回到他原来的座位上，全班同学看了都大笑起来。老师站在他面前瞪了一会儿，才一言不发地回到他的座位上去，汤姆的耳朵虽然被揪得很痛，但他心里却感到很愉快。

● 戏弄蜣螂

下一节上课的时候，汤姆越是想专心读书，脑子里越是胡思乱想。这时，教室里的空气非常沉闷，简直令人昏昏欲睡。

汤姆感到寂寞无聊，他的手不停地东摸西摸，突然摸到口袋里，便悄悄地把那个装蜣螂的盒子掏了出来，把蜣螂放在桌子上。这个小东西正欢喜地想跑开时，汤姆却拿针拨了它一下挡住了它的去路。

和汤姆并排坐在一起的是乔奇·哈勃。汤姆和乔奇平日是非常要好的朋友，但在玩打仗游戏时，就变成了对阵的敌人。这时，他也正感到无聊，就从衣服的翻领上取下了一根别针，帮助汤姆拨弄这个小俘虏，这个游戏越玩越有趣。玩了一会儿，汤姆说道：

"我们这样玩，都不能尽兴。来，让我想个好办法吧！"

于是，汤姆把乔奇的石板放在桌子上，又在石板的正当中画了一条线。

"好啦，在你那边由你来拨。可是，它若是跑到我这边来就归我来拨，你可就不许动手啊!"

"好的，就那么办。叫它开步走吧!"

游戏刚一开始，蛞蝓马上就越过了分界线，逃到了乔奇那边去;乔奇把它作弄了一下，它又逃回汤姆这边来。

当一个孩子聚精会神地折磨那只蛞蝓的时候，另外一个就站在一旁看着。

但是，乔奇似乎特别走运，每当它将要爬向汤姆那边，汤姆的手指头正急着要去拨它的时候，乔奇的别针就很灵巧地把它拨了一下，又让它往回走，还是留在乔奇这边。

汤姆看了忍无可忍，于是就把手越过分界线用别针拨了一下，乔奇马上生气说:

"汤姆，你不可以动手!"

"乔奇，我只不过是稍微拨了它一下。"

"不行，它又不是在你那一边。"

"动一下又怎么样?"

"就是不行!"

"喂，我说乔奇，你有没有想过，这只蛞蝓到底是谁的?"

"管它是谁的，它在我这边，你就不许动，我们不是讲好的吗?"

"哼，你倒说得好听，这是我的蛞蝓，我愿意怎样动就怎样动，谁也管不着。"

汤姆说着就在乔奇背上打了一拳，乔奇也不甘示弱，立刻还敬他一巴掌。

可是在他们还没动手前，老师早已蹑着脚步来到他们的身后望着，同学们也静了下来，教室里鸦雀无声，而汤姆和乔奇都还没有察觉，直到他们两个扭打在一起时，老师才狠狠地一阵鞭子把他们打散了。

◉ 汤姆和蓓琪

中午放学休息的时候，汤姆和蓓琪并排坐在操场一边的草地上。汤姆在石板上画了许多画给蓓琪看，他的内心真是乐不可支，他们边画边谈着。汤姆问道：

"街上正演着马戏，你看过了吗？"

"看过了。我爸爸说，如果我乖的话，他还要带我去呢！"

"你爸爸就是那萨其尔大法官呀！在教会里……"

汤姆想起那件事，感到很扫兴，立刻把话题一转：

"我看过三四次马戏，演马戏比在教会有趣多了。我长大了，想到马戏班里去当丑角。"

"啊，真的吗？"

"当然是真的，我既会拿大顶，又会翻斤斗。"

汤姆说着，当场就做给蓓琪看。蓓琪无限钦佩地

说：

"汤姆，你真了不起，什么都会。"

"当然喽，我没有不会的。"

"你在教会里，能得到圣经的奖品，真够聪明的。可是，老师又为什么常常骂你、打你呢？"

"那我也不知道。"

"我爸爸常称赞你，说你头脑好，是一个有出息的男孩子。"

"嗯，萨其尔大法官真的这样说吗？他真好眼光！"

"可是，我妈妈却不是这样说法。"

"她说什么？"

"她说你很狡猾，头脑也不见得好。"

"……"

"那不能怪我妈妈，谁教你答出那样可笑的两个名字？"

"那是我故意开玩笑，我怎么会不知道？平常哪里有人会向神童问起耶稣徒弟的名字？我为了表示抗议，才随便答出那两个名字。"

"真的吗？"

"当然了。萨其尔太太竟然也用那样简单的问题来考问我，真是差劲透了。"

"哦！"

蓓琪瞪着两只大眼睛，盯着汤姆。

"萨其尔法官人很好，可是他的太太，哼，未免令人讨厌。"

"嗄，你说我妈妈讨厌？"

蓓琪生气了，开始哭起来。

"蓓琪，你不要哭。因为你向我说萨其尔太太说我狡猾，头脑也不见得好，我一时很生气，忘记了她是你的妈妈而说错了话，请你原谅我！"

汤姆赶紧向她道歉，但是她把他推开继续哭着。

"蓓琪，你看，我把这个给你。"

汤姆焦急地从口袋里掏出他最心爱的宝贝，一个铜制的门把手，拿到她面前，但是蓓琪立刻把那把手打到地下去了。

这时，在操场上的那一边传来：

"啊，老师，您看！汤玛斯·索亚在欺负女生！"

接着又听到：

"那女生在哭呢。是汤玛斯·索亚……"

汤姆听到便一溜烟似地逃离了学校，他心想，今天一定是个不吉利的日子，要不然怎么老是遇到些倒楣的事，干脆下午不去上学算了。

● 午夜的坟地

那一天晚上，到了九点半钟，汤姆和席德又照平日一样被大人赶上床去了。

他们在睡觉之前，是必须做祷告的，汤姆经常不肯照办；但是这一天晚上，他却老老实实在内心祷告着："主啊，请多多保佑让席德早些睡着吧！"

席德做了祷告，很快地就睡着了。今晚，汤姆因为和夏克有约在先，他一直焦急不安地等待着他的信号；他好像觉得天快亮了，却听见时钟才敲十点，这可真叫人失望。他本想翻一翻身动弹动弹，但又怕惊醒了席德，只好静静地躺着。

房间里漆黑一片，叫人感到沉闷。

不久，在静寂中，那些原来在白天听不到的响声现在却越来越清楚了：钟摆滴答滴答的响声渐渐引起他的注意；墙角边的一只蟋蟀，开始发出令人厌烦的唧唧叫声；那老屋梁也神秘地发出裂开似的声响，简直就像幽灵鬼怪在活动。

渐渐的汤姆迷迷糊糊地打起盹儿来，时钟敲了十一响，他都没有听到。就在他似醒非醒的状态中，一阵非常凄厉的猫叫声响起，接着邻居打开一扇窗户，骂道：

"嘘，你这畜生吵什么！"

并丢下一只空瓶子，瓶子打碎了的声音才使他完全惊醒过来。

他连忙穿好了衣服，由窗户爬出。

"喵——喵——"

汤姆一面小心地学猫叫了两声，然后跳到木棚顶上，再由棚顶跳到地面去。

"喂！汤姆，你怎么不马上出来呀？"

"等你等得太累了，就迷迷糊糊地睡着了。"

"害得我叫了十几遍，你都不出来。"

"我好像听到还有别的声音。"

"还不就是隔壁老海斯丢出来的一个玻璃瓶子，差一点儿就打到我的脑袋上。幸亏你的莎丽姨妈没有被吵醒。"

"不要紧，我姨妈睡得正好呢，她不会醒的。到了夜深人静时，什么声音都有，刚才我听到那墙边，有报死虫发出可怕的卡嗒、卡嗒的声音。"

"听到有报死虫的叫声，一定是有人快死了。"

"真是可怕！可是夏克，你把那死猫带来了没有？"

"带来了，你看！"

夏克伯利将死猫往汤姆的鼻尖上晃了一下，虽然是在黑暗里，汤姆却也吓了一跳。

墓地距离镇上有两公里左右，两个孩子走了半小时之久，才到达那里。墓地的周围有一道歪斜的木板围墙，里面长满了杂草。所有的旧坟场都塌了下去，连一块墓碑也没有，只有许多被虫蛀了的木牌子，东倒西歪地插在那些坟墓前面。

一阵风从树梢吹过，汤姆不禁发起抖来。夏克虽然也有些胆战了，但他强自镇静地说：

"汤姆，你害怕吗？"

"怕倒是不怕……不过，夏克，刚才的声音……"

"是风嘛！"

"会不会是因为我们来到这里，那些阴魂醒了过来。"

"绝不会的。"

以后这两个孩子就很少说话，因为这个地方那一片阴森和死寂的气氛，震慑住了他们的心灵。不久，他们找到了他们所要找的那一个隆起的新坟头。于是，他们就在离那坟头约两公尺远的三棵大榆树下躲藏起来。

然后，他们静静地等待了好久，只有远处传来一只猫头鹰的叫声，才打破了死一般的静寂。

汤姆的心情越发紧张起来，他悄声说道：

"夏克，你说我们上这儿来，死人会不会不高兴？"

"我要是知道就好了。不过，这儿阴沉沉的好怕人，是不是？"

"就是呀！"

他们沉默了一会儿，然后汤姆又悄声问道：

"嘿，夏克，你想霍斯·威廉会不会听见我们的谈话？"

"当然听得见，至少他的阴魂是听得见的。"

汤姆打了一个寒噤，又停了一会儿才说：

"我刚才应该说威廉先生才对。可是，我并没有什么恶意，大家都叫他霍斯的。"

"汤姆，你以后要说这些死人的名字时，多加小心总没有错的。"

"不过，我们到这里，到底是为了什么？"

"治疣瘩呀！等一下鬼魂出来，我一念咒那些疣瘩就会掉的。"

"治谁的疣瘩？"

"我的手背上有两个，你没有吗？"

"小腿儿有一个。不过，有疣瘩也要不了命，治不治又有什么关系，我们还是回去吧！"

"别说泄气话！"

过了一会儿，汤姆突然拉住了夏克的胳膊说：

"嘘！"

"汤姆，怎么啦！"

两个孩子紧紧搂抱着，心房加速地跳动。

"嘘！你没有听到声音吗？"

"……"

"听，现在你听见了吧？"

"啊，好像是鬼来了！汤姆，怎么办？"

刚才还镇静沉着的夏克，现在已经吓得浑身瑟瑟地发抖了。汤姆答道：

"我也不知道。不过，你说鬼会看见我们吗？"

"汤姆，鬼跟猫一样能在漆黑的地方看见人，我真后悔到这里来。"

"别害怕，我可不相信鬼会找我们的麻烦，我们又没惹他们。"

两个孩子低下头来靠在一起，几乎停止了呼吸。这里，从墓地老远的那一边，传来一阵压低嗓门的声音。

"夏克，你看，你看那边！"汤姆悄声地说，"那是什么？"

"汤姆，那是鬼火，好可怕！"

● 目 击 惨 案

有几个模糊的影子，手里摆动着一只老式的洋铁灯笼，从黑暗中走了过来。

"嘘！"

"怎么了？夏克。"

"他们是人啊！我听出来了，其中的一个是老沫夫·彼得的声音。"

"不会是他吧？"

"我绝没有听错。喂，汤姆，你可千万别动！他不会那样机灵，绝看不到我们。他准是又和平常一样，喝得烂醉了。"

"好的，我就听你的话。噢，他们走到这边来了。谈话的声音很大，我又听出他们其中一个人的声音来了，那是印第安人卓伊。"

"不错，是他。这个杀人不眨眼的坏蛋，简直比魔鬼还要可怕。"

"天这样晚了，他们来干什么？"

"大概是要挖坟吧？"

"挖坟干什么？"

"嘘！来了！来了！"

两个孩子再也不敢作声了，因为那三个人已经走到新坟那儿了，在离这两个孩子只有几尺远的地方站住了。

"就在这儿。"

那第三个人的声音说。当他把灯笼举起来时，朦胧的灯光照见他的面孔了，原来是年轻的罗宾逊骨科医生。

沫夫·彼得和印第安人卓伊推着一个手推车，上面放着一条毯子、一根绳子和两把铁锹，他们两个把车上的东西卸下来，开始挖掘那座新坟墓。

"喂，赶快吧！伙计们，月亮说不定什么时候就会出来哩。"

那医生低声说着，他把灯笼放在一个高处，背靠着一棵榆树坐下。他坐得离汤姆和夏克很近，这两个孩子只要伸手就可以摸到他了。

沫夫·彼得和印第安人卓伊含糊地应了一声，继续挖掘，挖了有一段时间，仅仅听到铁锹挖泥土和石子的声音，后来才听到铁锹碰到棺材发出低沉的声音。

又过了一两分钟，那两个人已经把棺材抬出来，然后撬开棺材盖把尸体扔在地上。这时候，月亮由云层钻出来，把尸体照得很清楚。

汤姆和夏克过去也曾听说过，有些不道德的医生，因为缺乏解剖用的尸体，常常挖掘人家的新坟盗尸，现在居然亲眼看到了。

于是，他们把尸体抬到车子上用毯子盖好，并且还用绳子捆住。沫夫·彼得掏出一把海军大折刀，割掉车上垂着的一节绳子，然后说：

"现在，麻烦的事都弄好了。医生，你还要再拿出一百块钱来，要不然我们就把他放在这里不管了。"

"是呀！"

印第安人卓伊附和着说。

医生说：

"你们叫我先给钱，我不是已经给过了吗？"

"不错，可是现在你还得再付一百元。"

这时，那医生已经站起来了，印第安人卓伊靠近他的面前说：

"五年前的事，你以为我忘了吗？那天晚上，我到你家的厨房里去要点东西吃，你父亲不但把我赶了出来，还骂我无赖，把我当作游民送进警察局，关在监牢里。从那时候起，我就发誓非跟你算帐不可，你难道忘记了我的身上流着印第安人的血吗？现在，你总算落在我的手里了！"

"你不是要钱吗？可是，我身上并没有带着那么多。"

"把你身上所有的都拿出来，连那金表和金戒指。"

印第安人卓伊把拳头举到医生的鼻尖前，向他威胁着。不料，医生却先发制人，一拳把那坏蛋打倒。彼得丢下他的大刀，大声喊道：

"嘿，你怎么打我的伙伴呢？"

他马上就和医生扭打起来。

这时，卓伊很快地站起来，他眼睛里燃烧着怒火，捡起彼得那把刀，像只猫似的弯着腰，围着他们两个人转来转去，想找个机会下手。

突然，医生把彼得摔开，拔起威廉坟上那个沉重的十字架，就把彼得打昏在地上了。而印第安人卓伊就趁这机会，一刀刺进年轻医生的胸口，医生惨叫一声，鲜血四溅，倒在彼得的身上了。

那两个孩子吓得魂不附体，连忙逃走。

年轻的医生轻轻地哼了一声，长长地喘了一口气就死了。印第安人卓伊喃喃地说：

"那笔帐总算算清了，你这该死的家伙！"

然后，他搜了一下这具尸体上的东西，再把那行凶的刀子放在彼得那只摊开的右手里，便坐在撬开盖子的棺材上。

过了有四五分钟，彼得开始动弹，并且呻吟起来。他无意间抓住那把刀子，一看，吓得直打哆嗦，手一松刀子掉了，就赶紧把尸体推开坐了起来，惊慌地往四下一望，目光就落在卓伊的身上。

"我的天哪！这是怎么一回事？卓伊！"

"你看，这是你干的好事，这一下子怎么办？你没必要动手杀人啊！"

印第安人卓伊假装很生气地说着。

"是我吗？我没有杀他呀！"彼得吓得面如土色，浑身发抖，"我记得今天晚上没有喝酒啊，怎么我的脑子里还是昏昏沉沉的。卓伊，说实话，这的确是我干的吗？那真太可怕了。"

"是的，你们两个打成一团，他用十字架敲了你一下，你就倒在地上了；后来，你又摇摇晃晃地爬起来拿起那把刀，一下子就插到他身上。那时候，你又刚

好挨了他狠狠的一拳，就人事不省躺在地上，一直到现在。"

"卓伊，我怎么会拿到刀子的？"

"你不是用它来割绳子吗？"

"咳，真没想到我会做出这样的事来，怪我多喝了点酒，又在气头上。过去我虽然打过架，但从来没有动过刀子，可是今天晚上不知怎么搞的。咳，卓伊，你是我的老朋友，求求你，千万不要把这件事告诉别人呀！"

这可怜的家伙，居然双膝跪在那狠心的凶手面前，拱着手哀求他。

"彼得，你放心吧！你一向对我很好，我会为你保密的。"

"啊，卓伊，我太感谢你了，你的大恩大德我一辈子也不会忘的！"

彼得说了这话，眼泪潸潸地流下。

"算了，算了！这不是哭的时候，你从那条路，我从这条路，赶快逃走吧！可不要留下脚印呀！"

说罢，两个人就分手了。彼得起初还慢慢地走，不一会儿就快步如飞了。

他因为临去的时候过于惊慌，竟把那最重要的杀人刀子忘记在现场了。

● 汤姆和夏克的誓词

汤姆和夏克这两个孩子飞也似地往小镇上跑去，吓得连话都说不出来了。他们两个人一面跑一面回过头来往后望，好像担心他们会追来似的。

"只要支持得住，能够跑到制革场就不怕了。啊！我快撑不住了。"汤姆喘着气说。

夏克也喘得要命，不久，他们两个跑进一间门户敞着的磨房里，顿时全身无力，便都倒在地上了，过了一会儿，呼吸才恢复正常。于是汤姆低声说道：

"夏克，你想这件事情，结果会怎么样？"

"要是罗宾逊医生死了，印第安人卓伊就会判死刑的。"

汤姆想了一会儿说：

"谁去告发呢？只有我们才知道内情，我们去告发吗？"

"别开玩笑啦，如果我们去告发，万一卓伊没判死刑，他迟早会要我们的命。"

"夏克，你说的对。"

"今天晚上这件事，除非沫夫·彼得去告状！他真有一股傻劲儿呢，三杯酒下肚也许会信口说了出来。"

汤姆沉思了好久，又低声说：

"彼得那个老家伙，怎么能去告发呢？他对于那件事根本不知道。"

"他怎么不知道？"

"你忘了？当卓伊刺死医生时，彼得不是刚好被打昏过去吗？"

"是呀！汤姆。"

"喂！夏克，今天晚上的事，你能保密不说出去吗？"

"汤姆，当然能的，而且千万说不得。要是我们走漏了风声，卓伊因而处死刑还好；万一他侥幸只判徒刑，等他坐牢期满出来时，你说那时我们怎么办？那他不会像捏死两只猫似的弄死你我才怪呢！"

"那可怎么办呢？"

"我看，我们两个人必须发誓，绝对保密。"

"我赞成，我们举起手来发誓，说我们……"

"那不行，平常的小事情倒可以，这件事不能光用嘴说，应该写下来，而且还用血写。"

"嗯，你的主意不错。"

汤姆连忙在月光下捡一块干净而平坦的木板，从口袋里掏出一段蜡笔，借着月光写下了下列的誓词：

夏克伯利·芬和汤玛斯·索亚两个人

在这里发誓，要严守秘密，如果违背誓言不

得好死。

"汤姆，你真有一手，写得真棒！"

"要是白天，还会写得更好些。"

汤姆取下他领子上的针，把上面的线解下来，然后这两个孩子各在大拇指头上扎了一下，挤出一些血来，就这样一连挤了好几次，汤姆用他的大拇指当作笔，总算把自己的名字签上了。夏克也学他那样，签上他自己的名字。

于是，便把那块木板藏在紧靠着墙畸角的地方，念了一些咒语，他们认为这样宣誓的手续才算完备了。

◉ 沫夫·彼得被捕

第二天将近中午的时候，这个可怕的消息就传开了，全镇上的人都在纷纷议论着。

"凶手是谁？"

"据说是沫夫·彼得。"

"他怎么敢干出那种无法无天的事？"

"在被害人的身边发现一把带血的刀，有人认出是沫夫·彼得的。"

同时还有一个镇民说：

"昨天夜里,我有事情回来得太晚了,大约就在清晨两点钟左右的时候,碰到彼得正在小河里洗手脚,彼得看见我时便慌忙地溜走了。"

"的确,这种举动非常可疑。"

"尤其是深更半夜,跑到小河里洗什么手脚?彼得从来没有这种习惯啊!"

"为了缉捕这个可疑的'凶手',镇上警局已经派人到处搜查了。"

"可是,还没有找到任何线索呢!"

"不过,有关方面说,在天黑以前总有把握把他逮捕归案。"

当天下午学校休假了,小镇上的人们都成群结队地拥向墓地去。汤姆怀着不安的心情也参加了人潮的行列,当他看见了现场的凄惨景象时,昨夜所发生的那些事竟像梦幻一般地浮现在他的脑际。

蓦地,他觉得有人在他的膀子上捏了一下,转身一看,原来是夏克伯利。他们两人交换了一个警告的眼色,意思是说,千万不可泄漏呀!然后,两个人连忙跑到别处去了,惟恐别人看出了其中的奥秘似的。

这时,大家都议论纷纷:

"年纪轻轻的,死得好可怜!"

"这总可以给那些盗墓的人一个教训了。"

"罗宾逊医生他为什么要挖坟呢?"

"不知道，也许是为了研究，需要尸体。"

"要是抓到沫夫·彼得，总要判他绞刑吧？"

但是，当汤姆在人丛里，一眼看见印第安人卓伊那副无动于衷的面孔时，气得浑身都在发抖。

正在这时，人群开始拥挤起来，只听见有人嚷道："就是他，就是他，他也跑来啦！"

"谁呀，谁呀？"

人们异口同声地问。

"沫夫·彼得啊！"

"好大的狗胆子，还装着满不在乎的样子！"

群众让开了一条路，警长抓着彼得的手臂从当中走过来。

这可怜的家伙，面容很憔悴，眼睛里露出恐惧和不安的神情。当他站在死尸的面前时，竟双手捂着面孔号啕大哭起来。

"各位，在场的各位，我并没有杀他，我发誓，我绝对没有杀他。"

"谁说是你杀的？"有人大声吼道。

真是，谁也没说是他杀的，而他竟心虚地先行分辩起来。

这时，彼得抬起头来向四周张望，目光露出哀求乞怜的神情，当他一眼看到了印第安人卓伊时，就大声喊道：

"卓伊，你答应我绝对不……"

"这不是你的刀吗？"

警长把那把刀摆在他面前让他看。

要不是有人赶紧扶着彼得，使他慢慢坐在地上，他简直要晕倒了。

"糟了，糟了！我本来就想到了，要是不回来把刀拿走，一定会……"

他有气无力地说着。随后，他面对着卓伊说：

"卓伊，你告诉他们吧！瞒也瞒不住了，反正我自己也记不清楚。"

夏克和汤姆目瞪口呆地站在那儿，听着那铁石心肠的大坏蛋滔滔不绝地捏造了一套谎话。这两个孩子几番心神不定，本想挺身而出把实际情形说出来，拯救那被陷害的人一命；但是一想到那誓约，又不得不打消这个主意。

几分钟之后，在验尸的时候，印第安人卓伊又从容不迫地把刚才说过的话重述了一遍。汤姆和夏克再一次从内心涌出了正义感，想要说出事实真相，但当他们看到印第安人卓伊那副凶相时，勇气又消失了。

◉ 良心的谴责

自此以后，汤姆怀着这可怕的秘密，良心上受到

谴责，一星期以来，每天晚上都不能安眠。

有一天吃早点的时候，席德说：

"汤姆，你夜里翻来覆去老是说梦话，害得我也睡不着。"

汤姆脸色发白，低头不语。

"那可不好，汤姆，你莫非有什么心事？"

莎丽姨妈探着身子问。

"姨妈，我没有心事。"

可是，这孩子的手直发抖，端着的咖啡都洒出来了。

"汤姆，你的手在发抖，脸色也不正常，到底有什么心事，说出来给姨妈听听！"

"没有什么，我只是在想自己既不听话，又常逃学、淘气，……叫姨妈为我操心，我心里感到难过罢了。"

"哎唷！孩子，你怎么突然这么乖起来了。你不必替姨妈难过，只要你好好读书，快活地玩，不要为了那些小事，闷坏了身子就好了。"

莎丽姨妈被他那样一说，不觉心软下来。虽然他是个顽皮捣蛋的孩子，有时候倒也满惹人喜欢的。

而汤姆担心自己的秘密被觉察出来，捏着一把汗，到此才松了一口气。

可是，讨厌的席德却又从旁插嘴道：

"你睡觉时老说些可怕的梦话。昨天夜里，你说：'血呀！血呀！都是血呀！'你一连说了好几遍，你还说：'别这么折磨我呀！我说实话，请你饶了我吧！'汤姆，你到底为了什么向人家告饶呢？"

汤姆又气又急又害怕，席德如果再说下去，说不定会出什么岔子，幸好莎丽姨妈这时已经不再为他担心了，反而安慰他说：

"那一定是为了那件杀人的案子，几天来我也常常做噩梦。有时候，我还梦见那是我做的事，因而被吓醒了呢！"

"是的，我也梦见过那种可怕的事，真是怪事！"

玛莉表姐也是这样说。席德听了这话，好像满意了。于是，汤姆也就见机开溜了。

以后几天，他就假装牙痛，每天晚上把下巴包起来再上床去睡；可是席德仍然每天晚上都在监视他，并且常常把他包着下巴的绷带解开，来偷听他说的梦话。但是，不久就被汤姆发现了。

"喂，席德，你为什么老喜欢偷听我的梦话？"

"我觉得你有些可疑，杀人的那天晚上，你到底去哪儿啦？"

"我不是祷告了以后，就和你一块儿睡着了吗？"

"但是，你所说的梦话，就好像亲眼看到了杀人一般，你说：'晚上十二点……在那一片漆黑的墓地……

血呀，可怕的血呀！……仅仅离几尺远……凶手'"

"你听到这些断断续续的梦话，就怀疑我吗?"

"我想你内心有什么难言的秘密。"

"哪里，你别光说别人，你自己的梦话也多得很呢!"

"别瞎说了，我怎么不知道?"

"哼，说梦话就和打鼾一样，自己睡着了怎么会知道?"

"汤姆，那么，我都说些什么来着?"

席德听了有些不安了。

"你嘴里常常嘟噜着说，萤火虫，捉萤火虫。你在那天晚上，准是到墓地去捉萤火虫了吧?"

"我从来没有去捉萤火虫，何况在深夜里，我才不会去呢。"

"是呀!所以我说梦话未必是真实的，姨妈和玛莉表姐不也梦见过吗?那是在这小镇上从未发生过的大事件，白天听到人们的谈论，晚上就不免要说梦话。这是很平常的事，你别大惊小怪了。"

"也许是吧!"

席德半信半疑。汤姆接着说:"从此，你不要再关心我的梦话了。"

◉ 给 猫 吃 药

汤姆尽可能地想摆脱他内心的隐秘，可是却怎么也办不到，那是因为在饭桌上吃饭时听到了一个坏消息，沫夫·彼得可能被判处死刑。

自己如果肯挺身出来作证，当然沫夫·彼得就可得救。但是，当他一想到印第安人卓伊那副凶相，他又没有勇气了。

他每天都为这件事烦恼。常常夜里也睡不好，因此，神情显得非常颓废。姨妈见了，很替他担心。她看到健康杂志上说，洗冷水浴对精神不振的人很有帮助。于是，她每天在汤姆清早一起床，就替他用冷水擦澡，但是对这孩子毫无效用，眼看这一向生龙活虎似的孩子越来越无精打采了。

有一天，学校里的老师通知莎丽姨妈到学校去，向她说：

"汤姆这个学生，近来精神散漫，到底是怎么了？"

"是呀！我也正为这件事在伤脑筋，他好像有什么心事似的，但我再三追问他，他却说没有什么。"

"他每天上课时，总是呵欠连连，再不然就像失了神似的望着窗外发愣。"

"啊，这几天汤姆每天夜里都在说梦话，睡不好觉。"

"怪不得他常常在上课的时候打瞌睡。我也曾惩罚过他，总是无效，常常罚他，也怪可怜的；可是要不管他，又怕影响到其他的同学。"

"老师，请您不要姑息，尽量管教他；他那样不听话，老是淘气，在家里我也是不放松他的。"

"不，小孩子淘气不要紧。汤姆这个孩子，虽然不守规矩，但是心地还很善良，他所做的事都是天真无邪的。可是，平素顽皮的孩子忽然安静下来，倒有些令人担心，莫非身体方面，有什么不对劲？"

"只是最近脱落一颗牙齿，其他都没有什么。"

"是不是神经衰弱？"

"说不定是，因为他晚上总睡不好觉。"

莎丽姨妈在回家的途中，顺便买了一瓶镇静剂回来，那是一种药水，据说对神经衰弱很有效。

"汤姆，姨妈替你买药回来了。"

"药？姨妈，我没有病呀！"

"不，汤姆，你要听话，这药水也许难吃了一点儿，但是你只要吃下去就睡得好，不会再说梦话了。每天吃三次，来，你现在就吃一次！"

姨妈倒了满满的一调羹，汤姆皱着眉头，勉强吃了下去。那是一种可怕的苦药，使他差点儿就都吐出来，但他却马上装出笑容。

"怎么样，难吃吗？"

"还好，虽然有点儿苦，后来却甜甜的……"

这是汤姆的一种计谋，他如果老实说这种药如何如何的难吃，姨妈一定每次都会监视着他吃。

假若是蜂蜜或果子酱还可以，但他相信这种苦药根本医不了他的心病。所以，他一开头就不想吃这种药。

不过，瓶子里的药却也一天天的少了，姨妈看了很高兴。她以为汤姆从此可以安眠了，大概是心理作用，她感到汤姆的脸色也好得多了。

可是，有一天，汤姆跟往常一样正想把药水拿到外面倒掉时，姨妈心爱的黄猫"皮特"走了过来。

"喵——"

它贪婪地望着那调羹，露出一副馋相，大概是肚子饿了。

"喂！皮特，你想吃吗？"

那黄猫又连着叫了两声。

"嗯，你想吃就给你吃，反正对我也没有什么用处，可是你如果吃了不对口味，可不要怪我，那是你自己想吃的呀！"

于是，汤姆抓住皮特拨开它的嘴巴，就把镇静剂给它灌了下去。过了一会儿，皮特一下子在空中跳了有两码高，并且大声号叫；一下子在屋子里乱闯乱转把桌上的花瓶撞倒，闹得天翻地覆；然后，它用后脚站起，高高地立起来，喵——喵地叫个不停，那一副如吹胡子瞪眼睛的样子，看得汤姆哈哈大笑。

随后，它又在屋子里横冲直撞，弄得一塌糊涂。莎丽姨妈进来时，看见它翻了两个筋斗，发出最后一阵大叫，然后就向敞开着的窗口跳了出去，还把放在窗台上的花盆撞到外面去了。

莎丽姨妈匆匆忙忙进来，隔着眼镜一看，吓得目瞪口呆。

"汤姆，这只猫怎么了？"

"我不知道。"

"嗯，我从来没看见它这样过，到底它为什么这样胡闹呀？"

"姨妈，我真不知道，是不是猫高兴起来就是这个样子？"

"嗄？猫高兴起来就是这个样子？"

姨妈的语气有点儿不大对劲儿。

"姨妈，我想是那样的。"

"你别胡说！"

莎丽姨妈斥骂他说。然后，向四下里望过去，汤姆心里一急，等他看出姨妈的意向时，已经太迟了。原来那药瓶子，就摆在床铺的一边呢。姨妈把它捡了起来，汤姆吓得低下了头。

莎丽姨妈用左手提溜起他的耳朵，用她那戴着顶针的右手指，狠狠地在他的头上敲了几下。

"你为什么要虐待那不会说话的畜生？"

"姨妈，对不起，我是用猫来实验，如果猫吃下去药不舒服，我就更不可以糊里糊涂地吃下去呀！"

"汤姆，你怎么拿猫和人来比，人和动物是不同的。"

莎丽姨妈揪着汤姆的耳朵，又向房里看了一遍，她发现被猫撞破的一个花瓶里，正流着黄色的液体。

"哎呀！我还以为你每天乖乖地吃这药呢？谁知道你竟把药倒在这花瓶里，简直太可恶了。"

姨妈气呼呼地把汤姆拉进厨房里，她从来不曾这样大动肝火过。

"我一直都是为你好，怕你夜间睡不着觉伤了身体。汤姆，你却不明了我的苦心……"

莎丽姨妈举起鞭子照着汤姆的屁股打了下去，眼睛流着泪，嘴里数落着。

第 二 章

● 离 家 出 走

汤姆打定主意离家出走了。

他认为自己从来都没有做过坏事，他希望好好地做人，可是周围的环境偏偏不容许他这样做；他更不愿意让姨妈为他操心，但是不知怎样却往往给姨妈招来麻烦，甚至使她伤心得流泪，她再也不会疼爱他了吧？至于学校的老师，更不用说了。他开始自暴自弃，觉得自己是个没有人爱的孩子。

这一天早上，他从家里出来并没有到学校去，远远的就听见学校上课的钟声。他想，他将再也听不到这熟悉的声音了，于是不禁伤心地流下泪来。

汤姆信步往野外走去时，突然遇见了那最要好的朋友乔奇·哈勃。

"呀，乔奇。"

"噢，汤姆。"

他们两个同时互相招呼着。乔奇·哈勃的眼光显得特别呆滞，心里一定有什么不愉快的事情。

"乔奇，你没有上学吗？"

"我不想再去了。"

"什么?"

"我打算离家出走。"

"哦?真的吗?"

汤姆听了心里一惊,太巧了,怎么两个人竟不谋而合!

"乔奇,你到底为了什么?"

"我妈说我偷吃了一碗乳酪,用鞭子恶狠狠地抽了我二十几下,其实我连看都没有看见那碗乳酪。"

"真是的,那简直是虐待。"

"她明明是讨厌我,希望我走,既然她有这个意思,我也只好顺从她了。但愿我走后,她能够快活,永远不会懊悔把她可怜的儿子赶出去,甚至死在外边。"

"对,你这样做是对的。喂,乔奇,你知道吗,我也离家了。"

"咦!真的吗?"

"我还会骗你?我感觉到很多事情都不如意,所有的人都讨厌我,每天的生活毫无乐趣,所以就决心出走,永远不想回家了。"

汤姆说这话时神情沮丧,他用袖子紧擦着眼睛。

"我的想法跟你一样,我们正好在一起,你也不必难过了。"

"喂,乔奇,我们就结拜为兄弟吧,以后互相照顾,到死也不分离!"

"好的。"

两个孩子情投意合，紧紧握起手来。

他们沉默了一会儿，汤姆先开口说道：

"可是，乔奇，你打算到哪里去呢？"

"我想做个隐士到远方找个石洞住下，每天摘取树上的果实来度日；到了冬天，如果受不了冻饿时，就死掉算了。"

"做隐士有什么意思，倒不如去当海盗！"

"海盗？"

"海盗过着不怕死的生活，尽管为非作歹总比做隐士有意思多了。"

"对，汤姆，那我也去当海盗！"

乔奇·哈勃马上赞成汤姆的意见，满脸显得十分兴奋的样子。

"杰克逊岛不是很好吗？"

由圣彼得堡镇向南走五公里，就是密西西比河，在一处河面大约两公里宽的地方，有一个很浅的沙洲，是一个狭长的无人岛，那无人岛名叫杰克逊岛。岛上树木繁茂，离对岸相当的远，而那对岸也是人迹罕见的森林地带。

"那真是再好也没有了。"

"我老早就想到了，要做海盗一定要在那里，不过就是我们两个人未免太孤单了，总要把夏克也找来。"

他们费了大半天的工夫，才把夏克找到了。夏克恨不得马上就过这种生活，便一口答应了下来，入他们的伙。于是，三个孩子相偕来到密西西比河边。

"呀，那里有一个木筏！"

不知从哪里飘来的一个小木筏，靠近岸边了。

"太好了，这最要紧的一件东西，竟不费事就到手了。"

汤姆欢喜地说。

"可是，吃的东西怎么办呢？"

乔奇提出了这个问题。

"所以，我们每个人都要回家拿钓鱼的用具。"

"不过，光吃鱼也不行啊。"

夏克伯利说：

"像那面包、奶油可以设法偷来。掠夺本来就是海盗的本行嘛！"

"可是，偷窃总不太好。"

"嗯，要说偷窃就不好听了，是掠夺呀！掠夺是勇敢的行为，干海盗这一行都是要掠夺的。"

汤姆一本正经地说。

于是这三个孩子商量好，约定半夜在这里相会，就各自分手了。

一直到天黑以前，他们都在到处散布消息，说是镇上不久就会有惊人的事件发生。可是他们又嘱咐那

些人，要替他们保守秘密。

● 杰克逊岛上

到了半夜，汤姆·索亚带着面包、火腿和几件零碎东西，来到悬崖上的一个矮树林里，在那里可以看到他们约好集合的地方。

天空上繁星闪烁，四下里一片沉寂，密西西比河也静悄悄地睡在那里。

汤姆倾听了一会儿，并无任何声响，随后他小声地吹了一下口哨，崖下就有人回应。汤姆又用力吹了两三声，他的信号得到了同样的反应。接着就有一个很慎重的声音说道：

"来者是谁？"

"西班牙海上黑衣大盗汤玛斯·索亚是也。尔等通上名来！"

"血手魔王夏克伯利·芬，海上霸王乔奇·哈勃是也。"

这两个头衔是汤姆从他爱看的海盗小说里找来的，预先封给他们的。

"好了，报口令！"

"鲜血！"

夜深人静，传出了这样可怕的沙哑喊声，令人听了毛骨悚然。

于是，汤姆把他带来的面包火腿从悬崖上抛下去，跟着自己也滑下，这样一来，手脚和衣服都擦破了。他明知崖下的岸边有一条小路可走，可是若走那条小路，就缺少海盗应有的那股冒险犯难的精神了。

海上霸王乔奇带来了一大块咸肉，血手魔王夏克提着一个有把儿的小锅——那都是他们"掠夺"来的。

西班牙海上黑衣大盗汤姆说：

"不过，咱们没有火，可不能出发。"

"我早已准备火柴了。"

血手魔王从口袋里掏出一盒火柴来，可是不知怎的，汤姆一接到手，就把它丢进河里去了。

"喂，汤姆，没有火怎么办？"

"不，海盗横行海上是在很早以前，那时还没有人知道用火柴哩。"

这时，汤姆看见一百公尺外上游地方的一只大木筏上，有一堆冒着烟的火，他明知驾木筏的人到镇上去采购什物或是喝酒胡闹去了，却故意装出一副惊险的神情，把食指摁在嘴唇上喊一声：

"嘘！"

又虚张声势地低声说：

"我们靠过去，敌人如果敢轻举妄动，就给他尝尝长刀子的味道，然后开溜。"

"对的，死人是不会泄漏秘密的。"

因为他们认为不照海盗的方式去做，是不够刺激的。

等他们把火种拿到手以后，随即撑着木筏离开了岸边。由汤姆担任船长，夏克摇着后面的橹，乔奇划着前桨。

汤姆站在船中间，皱着眉头两臂交叉在胸前，用低沉而严肃的声音发着命令：

"船要启碇了，一切都准备好了吗？"

"好了。"

"掉转船头，顺风开航！"

"是的。"

"一直开，一直开！"

"是一直开的呀！船长！"

"偏了一点儿，是的，转过去了。"

木筏稳定地驶过大河的中央。这些命令无疑是一种形式，当然他们的心里全都有数的。

木筏继续在航行着，渐渐地远离了圣彼得堡镇。那小镇似乎并不知道发生了这样的"大事件"，而还在梦乡中沉睡呢。

汤姆已经停止了他的命令，嘴角上挂着苦笑，向那遥远的彼方凝视着。夏克和乔奇也停下手来，隔着一片茫茫的水面向小镇上望去，心里不知是喜是忧。

啊！这令人怀念的故乡，永别了。

他们三个默默无言地望了许久，木筏差点儿被急流冲到岛的另一个方向去。

"喂，转变方向，向岛那边去！"

夏克和乔奇连忙撑好了桨和舵，大约在深夜两点钟，木筏在离岛两百码的沙滩上搁浅了。他们来回跑了好几次，涉过浅水滩才把所载的东西运到岸上。

小木筏上原有一个旧帆，他们把它拿到矮树丛里，张开来当帐篷，好收存他们的食物。他们在晴天的时候，还是要睡在露天下，因为这样才合乎海盗的规矩。

他们在树林深处找到些枯枝生起火来，然后炸了一点儿咸肉，又把带来的面包拿出一半，当作晚餐。他们感到在这人迹罕见的荒岛上，自由自在地野餐真是无上的快乐，他们打算再也不回到文明世界去了。

当他们吃饱了以后，就直挺挺地躺在草地上。

"真痛快呀！"乔奇说。

"嗯，没有比这种日子再好的了。我们那些伙伴如果看见了，不知要怎么羡慕哩！"汤姆说。

"当然会羡慕得不得了。是吧？夏克！"

乔奇说完，夏克接着说：

"怎么不是？平常我连肚子都吃不饱，现在不但吃得饱饱的，而且也不会有人欺负我、咒骂我了。"

"这简直像在天堂一样。"汤姆说，"早晨不用一大早就起来，也不用去上学，更不用洗脸换衣服。喂，你们要知道，当海盗的上了岸什么事也不用动手做呀。"

"可是，海盗应该做些什么呢？"夏克问。

"啊！当海盗日子过得可真舒服，他们把人家的船烧掉，抢了人家的金银财宝埋在他们自己的岛上，让幽灵鬼怪替他们看管。他们还把船上的人通通蒙上眼睛，推到海里去喂鱼。"

"他们还把女人带到岛上去。他们是不杀女人的。"乔奇从旁补充说。

"不杀，当然不杀女人，海盗绝不做那种卑鄙的事，而且那些女人大都很漂亮的。书上都那样写着。"汤姆表示同意地说。

"他们穿的衣服不也是顶讲究的吗？身上戴着珠宝和钻石。"乔奇说得非常起劲。

"是那些女的吗？"夏克问。

"不，是海盗的呀！"乔奇说。

夏克看了一眼身上的破烂衣服："我看我穿的这一身衣服，不配当海盗。"他的语气好像有一点儿懊恼，接着又沮丧地说，"可是，我除了这身衣服，就没有别的了。"

"你别愁，只要我们开始抢劫，漂亮的衣服很快就会到手的。"汤姆安慰他说。

● 汤姆失踪了

第二天早上汤姆醒来，揉了揉眼睛向四周一看，感觉有点儿奇怪，一时不知身在何处。停了一会儿，他才想起自己已经是海盗了。

黎明时分，还有点儿凉意，整个森林静悄悄的。

树叶纹丝儿不动，草叶上沾着亮晶晶的露珠儿；一层白色的灰烬盖在那堆余烬上，一缕青烟直升向天空。因为昨晚太累了，乔奇和夏克都还在酣睡着。

过了一会儿，从树林的深处传来一声鸟叫。接着，其它的鸟儿也不甘寂寞地歌唱起来。天色渐渐亮了，大自然的奇妙力量，使各种生物也都活跃起来。一条尺蠖，好像量着尺寸似的由树叶上爬过来；一大队蚂蚁抬着一只死蜘蛛，英勇地前进；背上有棕色斑点的瓢虫，爬上一根草的叶尖上；接着又来了一只蜣螂，不屈不挠地使劲滚着那个粪球。这时，鸟儿聒噪得相当厉害，有一只飞了下来，停在汤姆伸手可及的树枝上。在树梢上跳上跳下的灰色松鼠和那在矮树丛中漫步的狐狸，都以好奇的眼光注视着这几个孩子。阳光从茂密的树叶缝隙间照射过来，几只蝴蝶翩翩起舞。

汤姆摇醒那两个海盗，他们好不容易才睁开了惺松的睡眼，伸了伸懒腰爬了起来。

汤姆说："我们去洗个澡吧！"

三个人立刻脱光了衣服，在浅水的沙滩上，互相追逐，扭着打滚儿。

一会儿，汤姆忽然叫道："啊，我们的木筏不见了！"

"嘎？"夏克和乔奇异口同声地惊叫着。

"说不定在我们睡觉的时候，有人把木筏偷走的。"夏克说。

"那怎么办呢？没有木筏，我们就回不去了。"乔奇神色不安地说。

"那么，我们游回去好了。"夏克又继续说，"不过，我顶多能游六百公尺，从这里到对岸至少有一千公尺。"

"喂，你们怎么搞的，既然决心当海盗，怎么还想回去呢？"

听汤姆这样说。其他两个孩子也觉得有道理。这样一来，就好像是破釜沉舟似的，正可以和那文明世界永远隔绝了。

他们玩得兴致淋漓地回到岛上原来的住处，心里都非常高兴，胃口也大开了。

于是赶快把营火弄旺起来，夏克在附近发现了一处清凉的泉水，大家就用橡树叶做杯子舀水喝。

"真好喝，比咖啡都好。"

　　他们用那甘美的泉水润过了喉咙,乔奇就准备切咸肉了,汤姆和夏克叫他等一会儿。

　　他们跑到河堤上,找到一处可以钓鱼的地方垂下钓钩,没等多久就钓到好几条肥硕的鲈鱼和鲶鱼。他们把鱼和咸肉放在一起煮,味道之鲜美,简直惊人。

　　三个孩子吃完了早饭,便东倒西歪地在树荫底下睡了一会儿,然后再往树林里去做探险旅行。他们快活地信步往前走,一路上跨过一些朽烂的木头,经过荆棘满地的矮树丛,再穿过一片大树林。那些大树上,有一串串的葡萄藤垂下来,他们摘了不少葡萄。

　　天气很热,只得又回到河边去游泳。由河边回到营地的时候,已经是下午了。他们的肚子饿得很厉害,等不及去钓鱼,就拿出冷火腿来吃个痛快。吃完了就在荫凉的地方躺下来聊天。

　　可是谈得总不起劲,后来索性不谈了。

　　在这万籁俱寂的时候,蓦地听到远处传来一种奇怪的声音,大家都愣了一下互相看了一眼。接着再一次传来一种低沉的轰隆声音。

　　"那是什么声音?"乔奇低声问着。

　　"我听不出来。"汤姆悄悄地说。

　　"那不是打雷,要是打雷……"夏克感到奇怪,歪着头说,"听!你们不要说话。"

　　他们侧耳倾听,紧接着又响起同样的轰隆声,打破了四周的沉寂。

"我们去看一下。"

他们立刻爬起来，朝着镇上那边的海岸跑去。他们拨开河边的矮树，隔着河水向对面望过去，只见离开镇上大约一里的地方有一艘小汽艇，甲板上似乎站满了人，另外有许多只小船在汽艇的附近划来划去，似乎发生了什么事情。

随后，有一大股白烟，从那汽艇的一边冒了出来。在这股烟像薄雾一般地直线上升的时候，那低沉的轰隆声，又传进了孩子们的耳鼓里。

"我明白了，一定是有人淹死了。"汤姆叫着说。

"对的。"夏克说，"去年夏天，贝尔·泰纳淹死的时候，他们就是在水面上放炮，然后淹死的人就浮出水面上来了。"

"在水面上放炮，那真好玩。当时，我要是在那里就好了。"乔奇说。

"嗯，我也是那样想。可是，到底是谁死了呢?"夏克说着。

汤姆注视着对岸的情景，想了一会儿忽然恍然大悟，他大声说道:

"喂，伙伴们，我知道是谁淹死了，还不是我们!"

乔奇和夏克颇以为然地点点头，汤姆更加得意地接下去说:

"因为我们失踪了，我的姨妈、席德和玛莉还有乔奇的妈妈，一定都很痛心。"

"他们都相信我们已经死掉了吗?"乔奇问。

"他们到河的下游来，找不到我们，十有八九会是那样想的。他们一定流着眼泪，后悔平日不该那样打骂我们才使我们失踪了。现在，我们成为全镇上都在谈论的人物了。这种光荣，不知使镇上的孩子们多么羡慕呢。"

"可见做海盗还是值得的。"夏克愉快地说。

当夕阳西下的时候，汽艇靠近了码头，小船也都不见了。这几个海盗也回到了他们的巢穴，钓了些鱼煮着吃了。镇上的人们为了他们三个人忙成一片，他们却悠哉悠哉不知天高地厚。

可是，当暮色苍茫静谧的黑夜来临时，汤姆和乔奇的想法又不同了。夏克伯利的父亲反正是个酒鬼，根本就不管他，对他的失踪也不觉得怎么样；但汤姆和乔奇却有慈祥的姨妈或妈妈，让她们无缘无故地为自己担心，实在说不过去。于是，他们两个的得意神情渐渐消失，代之而来的是极度的烦躁和不安，他们不觉叹了口气，想家的毛病开始作祟了。但是，谁都不愿把这种想法坦白地表露出来。

夜色渐渐深了，夏克先去睡，一会儿鼾声大作。接着乔奇也睡着了。汤姆用胳膊支着头部，凝望着他们两个人，直到认为他们确是睡熟了便悄悄地爬起来，借着营火的亮光，拾起了几块洋梧桐的白色薄皮。

他选了其中的两块，然后在火旁跪下来，掏出身边的蜡笔吃力地写了几个字，再把写好的一块放进衣服的口袋里，另外的一块放在乔奇的帽子里。

于是，他就蹑手蹑脚地从那些树丛中走去，直到离开了乔奇和夏克有一段距离时，才飞也似的往沙洲那边跑去。

● 潜回偷听

几分钟后，汤姆就跑到浅水的沙滩上，水深到他的腰部，他涉水前进，直到河水深及胸部才开始游往对岸去。

他伸手摸了一下上衣的口袋，发现那块树皮还在里面。然后，他穿进树林顺着河边走，在十点钟前到达小镇对面的空地上，发现汽艇靠在高高的堤岸边，他就跳进水里游了一会儿，偷偷攀上了汽艇。

不久，响起一阵铃声，听见有人叫嚷说要开船了。他暗自庆幸不曾被人发现。直到汽艇停住了，他又赶快由汽艇上溜下来，在黑暗中游到岸上。抄着小路，飞奔到姨妈家的围墙外。

他爬过了围墙向姨妈的房间望去，屋子里点着灯，莎丽姨妈、席德、玛莉和乔奇·哈勃的母亲正围在一起谈话，床就摆在她们和门口之间，汤姆走到门口悄悄地拨开门上的钉锦，然后轻轻地把门往里推，小心地爬了进去。

"我说蜡烛的火苗怎么会被风吹得一个劲儿摇呢？原来门打开了。我记得那扇门已经扣上了，怎么会开了呢？咳，怪事真多，席德快去把它关起来。"

莎丽姨妈说这话时，汤姆已经爬到床底下几乎可以摸到姨妈的脚。

"像刚才我所说的，他不是一个坏孩子，只是太顽皮，他从来没有存心要去做什么坏事，他的心地是很善良的。"

姨妈哭诉着说。

"我家的乔奇不也是一样，只是太爱捣蛋了。可是，他一点儿也不自私，脾气再好也没有。我冤枉他偷了乳酪吃，还抽了他一顿鞭子……是我自己不好，忘记乳酪酸了而倒掉了！想到今生今世再也见不到他了，我心里真是难过极了……"

哈勃太太抽抽噎噎地哭了起来，好像心都碎了似的。这时，席德从旁说道：

"我希望汤姆在天堂能过着舒服的日子，不过，他从前要是乖些……"

"席德！"

姨妈制止了席德的话。汤姆虽然看不见姨妈的脸，但也想象得出姨妈这时候一定紧瞪着席德。

"我的汤姆已经死了，不许你说他的坏话，他在天堂上帝保佑他，用不着你操心。"

藏在床底下的汤姆听了，心里真是痛快。接着，姨妈又向哈勃太太说：

"唉，哈勃太太，我失掉了汤姆，真不知道如何是好！"

"上帝赐予的，再由上帝收回去，这是无可奈何的事呀。可是，实在太叫人难受了。就在上星期日，乔奇在我面前放爆竹把我吓了一跳，我还把他痛打了一顿，谁知道他这么快就……唉，假若他再能这样，我一定把他抱起来，还要说放得好呢！"

"是呀！哈勃太太，我完全了解你的心情。前天下午，我家的汤姆抓着猫就给它灌镇静剂，害得那畜生像疯了似的把满屋子弄得天翻地覆，我一时火起就狠狠打了他一顿。可怜的孩子，可怜的短命孩子！呜……"

两位太太紧擦着眼泪，伤心得再也说不下去了。

汤姆也一阵鼻酸，眼泪流了下来。他恨不得立刻冲出来，让大家惊奇一下，尤其是姨妈那种悲痛欲绝的样子，如果看到汤姆不知要怎样的高兴呢！可是，他克制了这个冲动，仍然躲在床底下。

汤姆继续往下听，由她们东一句西一句的话语里听出，原来起初大家猜想他们是在游泳时淹死的，后来发现小木筏不见了，又听到孩子们说，那几个失踪的孩子预先就对他们说过，镇上不久就会有惊人的事件发生，有些人就推测他们是划着木筏跑掉了。

可是将近中午的时候，有人发现那木筏在大河下流停着，但是上面没有人，于是大家就绝望了，认为他们一定淹死了。不然，他们忍受不了饥饿，就会回家的。

这是星期三晚上的事，要是到星期日还找不到尸首的话，那天上午就要在教堂里举行追悼会了，这些话使汤姆听得毛骨悚然。

再过一会儿，当哈勃太太告辞回去的时候，两个太太又互相拥抱着痛哭一场。

莎丽姨妈向席德和玛莉道晚安时，她的声音显然比平日要低微得多。席德啜泣着，玛莉也伤心得泣不成声，两人哭着各自回房去了。

莎丽姨妈跪下来，虔诚地为汤姆祈祷。她的祷词和她那颤动的声音，充满了无限的慈爱。所以，她还没有祷告完毕，汤姆早就哭成了泪人儿了。

姨妈上床后，还是翻来覆去不断地叹息着。一会儿，才渐渐安静下来，大概是睡着了。

这时候，汤姆偷偷从床底下钻了出来，他站在床边凝视着姨妈，经过了三天的忧愁与悲哀，使姨妈的脸苍白而消瘦了好多，内心不禁充满了歉意。

于是，他从口袋里掏出那写着字的梧桐树皮，放在蜡烛旁边。那树皮上的字是用蜡笔写的：

> 姨妈，请您不必为我担心，我们没有死，只不过去做海盗罢了。

可是，在他将要离去的瞬间好像又想起了什么，他迟疑了一会儿，脸上露出了喜色又把那块树皮收进口袋里，然后弯下了身子，轻吻了一下姨妈的面颊后，便很快地溜了出去。这次，他没有忘记把门关好。

● 汤姆的报告

第二天早上，乔奇·哈勃和夏克伯利·芬醒来一看，汤姆不见了。

"喂，乔奇，汤姆那家伙跑掉了！"

"夏克，我想不会的。汤姆这个人最讲信用，他绝不会溜走，他知道那种行为是海盗的耻辱。他如果真的那样没有骨气，我就和他绝交。"

"喂，乔奇，你那帽子里是什么？"

夏克一眼看到了汤姆昨夜临去时留下的树皮信

和他的全部财产，包括一粒橡皮球、三个钓鱼钩和一颗水晶弹珠。

"乔奇，那树皮上写些什么？"

"上面写着：'我到别处去一趟，如果在早餐以前还没有回来，我这些东西就属于你们的了。'哼！这家伙……"

"谢天谢地，这些东西都是我们的了，我看准他不会回来啦。"

夏克欢叫着。

"他可就偏偏回来了！"

汤姆大声喊着，大摇大摆地走到他们两个人的面前来。

一会儿，咸肉和鲜鱼配成的早餐摆出来了，他们开始大吃大嚼起来。这时，汤姆就叙述他回家一趟的经过，并且又加了一番渲染，只是他把星期日要在教堂为他们举行追悼会的那件事瞒住了他们。

他们三个人洋洋得意，自以为都成了英雄。然后，汤姆躲到一个荫凉安静的地方，一直睡到中午。

午餐过后，海盗们都到沙洲去搜寻龟蛋，他们把木棒插在沙地里，碰到松软的地方就跪下去用手挖掘。有一次，他们在一个洞穴里掏出五六十个蛋来，那些蛋都是圆溜溜的，比胡桃稍微小一点儿。

当晚，他们就吃了一顿美味的煎蛋。星期五早上又吃了一顿。

他们吃过早饭，就呼啸着向海边跑去，一面跑一面脱光身子，一直到浅水滩上互相拨水为戏。那里水势湍急，随时有被冲倒的危险，但他们却大感兴趣；有时候，他们弯着腰围在一起，把水泼在对方的脸上。后来越玩越起劲，每个人都想把对方摁到水里去，互相揪住扭成一团，直到大家都气喘吁吁为止。

三个人玩累了，就在晒得火热的沙滩上乱滚使全身沾满了沙，过了一会儿再跑到水里去玩。后来，他们忽然想起精光的身体很像肉色的紧身衣，所以就在沙地上画了一个圆圈，在里面扮演马戏。这个马戏班里虽然有三个小丑，却没有一个观众。

◉ 一 项 秘 密

任何一种游戏不会永远玩不腻的，当他们玩够了时就回到了营地。

乔治这时很想家，眼泪差点儿就流出来。连无家可归的夏克伯利也拉长了脸，坐在那里发呆。

汤姆虽然也心情沉重，却竭力不露出来。他眼看乔奇和夏克一副沮丧的样子，为了替他们打气就假装很高兴地说：

"喂，伙伴们！我敢说这岛上从前一定住过海盗，我们应该深入探险，如果能找到他们所埋藏的财宝，那该有多好！"

但是，乔奇和夏克的反应都很冷淡。

乔奇坐在那里用树枝拨弄沙子，一脸郁郁不乐的神情，最后他说：

"这里太寂寞了，我想回家，不愿意做海盗了。"

"乔奇，你大概是太累了，休息一会儿就不会那样想了，在这里钓鱼该多么好玩哪！"

"不，我不喜欢钓鱼了，我要回家。"

"可是，乔奇，那儿没有这样好的游泳场所啊。"

"在这儿没有人骂我，说不准我游泳，我反而觉得游起来不够味儿。总而言之，我不愿意再在这里待下去了。"

"哼，没有志气！你还是小娃娃吗？想回去看妈妈吧？"

"是啊，我就是想回去看妈妈。你要是有妈妈也会想看她的，你说我是小娃娃，你也不见得有多大！"

乔奇鼻子抽动，简直就要哭了。

"夏克，你看他像不像一个女孩子？动不动就哭了。好了，就让这女娃儿回家找他妈妈吃奶去吧！喂，你还喜欢待在这里吧？那就我们两个在一起好了。"

夏克应了一声：

"好，好吧！"

说得一点儿也不带劲。

乔奇一面站起来，一面满脸不高兴地开始穿衣服，然后对汤姆说：

"我这一辈子，再也不愿跟你讲话了。"

"哼！谁在乎？你回去让人家笑吧！你真是个了不起的海盗！呸！简直是个懦夫！夏克和我可不是哭娃娃，我们要留在这里，对不对，夏克？他要走就让他走吧！没有他，我们还不是照样过日子。"

汤姆嘴里虽然这样说，心里却非常不安。随后，乔奇连一句告别的话都没说，就涉水走向伊利诺斯河岸去。

汤姆很沮丧。夏克看了他一眼，然后低着头，生怕汤姆看出他的心事，最后他也说道：

"汤姆，很抱歉，我也要回去了，这里越来越寂寞了。"

"我可不回去，你们要走，尽管走吧！我要留在这里。"

"汤姆，我们一起回去吧！"

"你走好了，没人留你！"

夏克把那些丢在地上的衣服穿上，又说道：

"汤姆，最好也跟着来吧！你再好好地想一想，我们在对岸等你。"

"要等随你去等，我是绝对不回去的。"

夏克很伤心地走了,汤姆站在那儿望着他们的背影……这时候,他真希望他们会停下来,他好厚着脸皮跟他们一块儿回去。可是,他们却头也不回地大踏步涉水前进。

汤姆忽然感到自己的确是寂寞而孤单了。经过一番痛苦地挣扎之后,就飞跑过去追赶他的两个同伴,叫喊着说:

"等一下,我有话跟你们说!"

他们马上站住了,转过身来,汤姆跑到他们站住的地方,开始说出他瞒住了他们的那一项秘密:

"你们可知道?镇上的人要为我们举行追悼会呢。"

"哦?追悼会!"

乔奇和夏克一直都没想过这件事。

"是的,就是我们的追悼会。如果到星期日还找不到我们的尸体,那天早晨,就要在教堂为我们举行追悼会了。我心里早就有一个计划,只不过没有和你们提起罢了。"

"什么计划?汤姆。"

乔奇和夏克催促着问。

"你们不要着急,一个好的计划当然是不能轻易发表的,现在我告诉你们吧!"汤姆走近他们两个的身边,悄声说了一会儿。

"啊，这个主意好极了！"

乔奇和夏克高兴地叫了起来。

"可是你怎么不早点儿告诉我们，汤姆，你简直存心不良！"

"像这样重大的事情，我怕泄漏出去。"

"谁会那样卑鄙，把它泄漏出去？"

"可是，你们不是要回去吗？"

"不，直到星期日以前，我们绝对不打算回去了。"

乔奇和夏克立刻高兴起来了，他们回到原来的营地以后，又把这件事谈论了一会儿，最后汤姆嘱咐他们两个人说：

"我们千万要注意，不要被人发现，否则，一切讨论都要落空了。"

● 同学们的怀念

星期六下午，圣彼得堡镇上充满了凄凉的气氛。哈勃一家人和莎丽姨妈全家都穿上了丧服，他们痛哭流涕悲伤不已。镇民们一谈到三个孩子的事情，都不由得叹了一口气。

星期六是假日，镇上的孩子们都没有心思去玩。

这天下午，蓓琪独自徘徊在学校那没人的操场上。她自从听到汤姆死去的噩耗之后，对于汤姆始终

不能忘怀，他那淘气的神情历历如在眼前。

"早知道就该把那铜制的门把收下来，也好留个纪念。"

蓓琪一边想着，一边来到操场的一角站住了。

"那一天，就在这里，他画了许多幅画给我看。还拿大顶、翻筋斗，真是样样都高明！他实在并不是存心要冒犯我妈妈，我也真不该那样小气，和他认真起来。咳！现在他死了，我永远也看不见他了。"

她越想越难过，眼泪顺着两颊不住地往下流。

随后，有一大群男孩子，都是过去汤姆和乔奇的玩伴，走过来了。他们站在那里向围墙外面看，用惋惜的语调谈论着最后和汤姆及乔奇在一起的事情。有一个孩子说：

"我那时候就是这样站着，你好比就是汤姆，我离他就有这么近，他向我笑了一笑，我突然打个冷战。真可怕，那时候我根本没有想到是怎么一回事，原来那竟是一种预兆。"

然后，关于这两个死了的孩子在世时究竟是谁见他们最后一面这一点，起了一场争执。

有一个孩子颇自信地说：

"也许是我，因为在他们失踪的前一天放学后，我看见汤姆到河边去游泳。"

"那见他最后一面的就不是你了，因为我看到他游泳完正要回家。"

这样一个又一个对证的结果，最后有一个孩子说，他才是最后遇见了汤姆，而且还和他谈了话。

"那天晚上九点左右，妈妈叫我上街办一桩事，当我由汤姆姨妈的家经过时，看到二楼的灯还亮着，我就叫了一声'汤姆！'汤姆听到我的声音就把头探出来，和我谈了有一分钟的话，最后互道晚安才分手的。"

结果，这个孩子得到了"见到汤姆最后一面"的荣誉。他摆出一副高出常人一等的神气，别的孩子都张着嘴巴望着他，显出又嫉妒又羡慕的样子。

有一个可怜的小家伙，为了要表示自己跟汤姆有交情，竟说：

"哼，我经常和汤姆·索亚在一起玩，有一回他还打了我一顿。"

不过，他这一招竟是大错特错，像汤姆那样顽皮的孩子，谁没有被他欺负过？

这群孩子继续闲谈下去，大家还是以惋惜和敬畏的声调，追述着这两位死去的"英雄"的往事。

◉ 亲临追悼会

第二天早上，主日学下课之后，教堂的钟声缓慢而庄严地响着。

那是一个非常安静的星期日,镇民听到了哀悼的钟声陆续地集合在教堂的门口,他们悄悄地谈论着这桩不幸的事件。

可是当他们走进教堂里面时,就都一言不发了,只有人们走路的脚步声和妇女们衣裙的窸窣声,打破了教堂的肃穆。教堂里座无虚席,可以说是从来也没有过的现象。

不久,莎丽姨妈带着席德和玛莉进来了,他们的后面又跟着哈勃全家人,个个都穿着黑色的丧服。于是,教堂里以老牧师为首,以及全体来宾都以虔诚的态度肃立着,直到那些穿丧服的人都在前排座位上坐好,大家这才坐下来。

当教堂里的人们低下头来默祷时,不时夹杂着一阵啜泣声。稍停,牧师把双手向前摊开做了祷告,于是,大家齐唱一首动人的赞美诗歌,随后,又朗读了一段圣经:

——复活在我,生命在我——

接着,牧师讲述这两个被神召去的孩子的美德和讨人喜欢的地方,他们过去所作所为是多么的天真烂漫,并且把他们未来的远大前途,说得有声有色。

教堂里众人都受感动了,不绝的欷歔声和丧家的悲泣声打成一片,连牧师本人也情不自禁地在讲坛上边说边哭了起来。

这时，教堂的二楼上有沙沙声响，但是并没有人注意到……那就是三个小海盗已回到镇上来，亲临他们的追悼会。这就是汤姆最后的秘密。

他们三个人在星期六的傍晚时分，攀着一根杉木划过密西西比河岸，在离小镇下游五六公里的地方爬上岸。他们在郊外的森林里过了一夜，直到快天亮的时候，再悄悄经过许多僻静的小巷溜进教堂，偷偷爬上二楼。

这间教堂的二楼平常都不用，只堆放了一些损坏的桌椅和杂物，这些东西上面积满了灰尘，他们躲在这里是再妥当也没有的了。

"喂，乔奇，你注意听！牧师开始说教了。"

"咦！不是在夸我们吗？"

"当我们活着的时候，怎么没有人说我们有讨人喜欢的地方呀！"

"又说我们了不起。就是死几遍都值得，是吧？夏克。"

"可是，我们也该下去了，如果丧礼完了还有什么用处！"

"对，赶快跑下去，好让大家吓一跳。"

夏克和乔奇恨不得马上跑出去，但是汤姆则认为要等到追悼会的悲哀情绪达到最高潮的时候再出现，才最有意义。

过了一会儿，三个人从楼梯下来走到教堂的正门，吱的一声就把门推开了。

当牧师正拿着手帕擦眼泪的时候无意中看到门口，不禁"啊！"地叫了一声，就愣在那里好久说不出话来。众人转过头来顺着牧师的视线看过去，他们简直不敢相信自己的眼睛，只看见走道那边大家以为死了的三个孩子——汤姆在前面，乔奇在当中，满身破烂衣服的夏克怪不好意思地跟在后面——缓缓走来。

莎丽姨妈、席德、玛莉和哈勃夫妇，立刻向他们那两个活着回来的孩子扑过去，紧紧地抱住，把他们吻得透不过气来。然后，大家跪在地上，流着眼泪感谢上帝的恩典。

只有夏克最可怜，没有半个人理睬，大家都以不友善的眼光紧盯着他，使他局促不安地站在那里。他犹豫了一会儿，竟想开溜了。

可是汤姆揪住他说：

"姨妈，这太不公平，夏克回来也该有人为他高兴才对。"

"当然，当然，大家应该为他高兴。我就感谢上帝使这没娘的孩子平安的回来了。"

姨妈说着还摸着夏克的头，可是夏克越发感到不安。

静穆的教堂正为这突如其来的事闹得乱哄哄的时候，蓦地牧师提高了嗓门唱道：

"感谢上帝，赞美上帝，你赐福给我们——唱呀！我们永远信奉你。"

大家一齐随声唱着，那歌声震动了屋瓦。海盗汤姆·索亚四周张望了一下，眼看在他身边那些对他投以羡慕眼光的孩子们，觉得现在是自己一生最得意的时候了。

被骗的群众相继离去，但是他们的心情都很愉快，觉得假如能用这样真实的感情来唱赞美诗，他们宁愿再被骗一次。

◉ 汤 姆 说 梦

星期一早晨进早餐时，莎丽姨妈和玛莉对汤姆都很亲热，说起话来也比平常和气，在畅谈中姨妈说：

"汤姆呀，我看你这个玩笑未免也开得太大了。你们一定玩得很痛快吧？可是你们却没想想让大家怎样为你们担心，尤其是我是如何的伤心！你既然能坐在一根杉木上划回来参加你们的丧礼，为什么不能预先回来给我一点儿暗示，让我知道你并没有死呢？"

"汤姆，你一定没有想到这一层吧！"

表姐玛莉从旁说。

"你说，你要是想到了，你会不会那样做？"

姨妈的脸上露出极想知道的神色。

"我……我不知道。因为，那样一来我们的计划就完了。"

姨妈听了感到很失望，于是用埋怨的口吻说：

"汤姆呀！我本来希望你对我有那份孝心！哪怕没有做到也是好的。"

"姨妈，汤姆这个孩子一向粗心大意，准是没想到这一点。"

玛莉替汤姆辩解着。

"要是席德，他绝不会害我这样伤心的。咳！你看我一下子好像老了十岁，头发也不知道白了多少！"

"可是，姨妈，我一直都很想念您的。"

"想念我？假如有想念我的意思，为什么不表露出来？"

"姨妈，我在外面常常做梦梦见您，那还不是想念您的缘故吗？"

"那算不了什么，猫狗也会做梦。但是梦见总比没梦见的好，你说你梦见我都在做什么？"

"我嘛！星期三晚上，我梦见姨妈坐在床边，席德坐在木箱子上，玛莉坐在席德的旁边。"

"对呀！星期三晚上，我们是这样坐着的，我们经常是这样坐着的。"

"我还梦见乔奇·哈勃的妈妈也在这里。"

"不错，她是来过的，你还梦见了什么？"

"啊，还梦见了好多，让我慢慢地想想看。"

"不要着急，慢慢地想！"

"我想起来了，好像有风吹进房子里来，把蜡烛……"

"蜡烛怎么样？好好地想！"

汤姆把手指摁在额头上，想了有一分钟才说：

"是的，是的，那烛光摇摇晃晃的一直稳定不下来。"

"老天哪！汤姆，你再说下去！"

"您就说：我记得那扇门已经关好了，怎么会打开呢？"

"是的，汤姆，我确是这样说过，再往下说！"

"后来，后来，您大概是叫席德去把门关上的。"

"哎呀，我活到这么一大把年纪，还没听过梦有这么灵的，我一定要去告诉哈勃太太，让她相信，因为她总是说，梦是靠不住的。汤姆呀，后来又怎么样呢？"

"啊，我都想起来了，后来姨妈说我不是一个坏孩子，只是太顽皮，并没存心做什么坏事，还说我的心地本来很善良。"

"是的，我是那样说过的。"

"以后，姨妈就哭了起来。"

"对的，因为我以为你已经死了，不再回来啦。"

"接着，乔奇的妈妈也哭起来了。她说乔奇也和我一样不是个坏孩子，只是爱捣蛋罢了。她很后悔，不应该打乔奇，因为她后来才想起那酸乳酪是她自己倒掉的。"

"汤姆，这真是奇迹，是不是有神附在你的身上了，你再讲下去！"

"然后，席德他说……他说……"

汤姆的眼睛直盯着席德。

"我没说什么呀！"

席德想赖，可是玛莉从旁证实说：

"你确实说什么来着！"

"不要多嘴，让汤姆说下去！汤姆，席德说些什么？"姨妈催促他继续说下去。

"他好像是说，希望我在天堂能过舒服的日子，不过我从前要是能乖些……"

汤姆又瞪了席德一眼，席德赶快低下头去。

"真的，席德是那样说的。"

"然后，姨妈就制止了他。"

"是的，因为没有比说死人的坏话更不应该的。"

"然后，乔奇的妈妈说，乔奇在她面前放爆竹吓她一跳；姨妈也把我用药灌猫的事告诉了她。"

"一点儿也不假！"

"后来，您和哈勃太太还谈到大家到河里打捞我们，又说星期日要举行追悼会，最后你还和哈勃太太拥抱着痛哭一场，她才走的。"

"真奇怪，你说的一点儿也不错，就是你亲自在场，也不能说得这样分毫不差。那么，后来呢？"

"姨妈还替我祷告，我在梦中不但清楚地看见了您，而且也把您的祷词句句都听到了。后来，您上床去以后好一会儿才睡着。我心里难过极了，就拿一块梧桐树皮写上'我们没有死，只不过去做海盗。'放在桌上蜡烛的旁边。当时，我看见姨妈慈祥的面孔，就弯下身子轻吻了一下姨妈的面颊。"

"汤姆，是真的吗？凭这一点，我什么事都可以饶恕你了。"

姨妈感动得紧紧搂住了他。可是，汤姆似乎受到了良心上的谴责，因为像这样慈爱的姨妈，自己还要花言巧语地去骗她，未免太不应该了。

"真值得钦佩，可惜只是一个梦罢了。"席德半挖苦地嘟噜着。

"席德，不准你乱讲！俗语说得好，日有所思夜有所梦。汤姆白天一定是这样想过，才会做这样的梦。

"汤姆啊！这个大苹果是我留着万一你回来时，要给你吃的。你就拿去吧！真要感谢仁慈的上帝，以为死了的孩子却活着回来了。时候不早了，快上学去吧！

席德和玛莉，你们也去吧！"

● 人 缘 最 好

现在，汤姆变成了最了不起的英雄了！镇上的人看见了他就指指点点地说："就是他，就是那小家伙！"他故意装作不在乎的样子，其实内心的得意简直无法形容。

经常有一大群孩子，跟在他的后面。就好像是游行的一个行列，而汤姆就是那个行列的领队人，威风凛凛、趾高气昂地走在最前头。

每一个孩子的内心都在羡慕汤姆的英勇行为，当时，汤姆那如阳光般灿烂的笑容和那被太阳晒过的红润皮肤，使所有的事物都为之失色。

在学校里，汤姆和乔奇成了谈话的焦点，同学们对他们都投以敬佩的目光；两个英雄也利用课余的短短时间，向那些包围在他们身边的听众，得意地把他们冒险的经过添枝加叶地吹嘘了一番。

汤姆和乔奇都曾看过关于这方面的书籍，再加上在杰克逊岛一个星期的亲身经历，所以讲起来就显得特别逼真，孩子们听了也就更觉得趣味盎然。

有一次，当汤姆正比手画脚讲得兴高采烈的时候，发现蓓琪也站在同学后面注意听着。汤姆老早就想向蓓琪道歉的，因为谁也不愿有人讲自己妈妈的坏话，难怪那一次使蓓琪生气。

但是，现在的汤姆却摆起架子来，管她是什么大法官的女儿，没有向她解释的必要；所以当他看到蓓琪时，不但没有抱歉的神情，反而向她做了一个鬼脸。

在上午的最末一堂课，汤姆在石板上画出杰克逊岛的地图，正讲给同桌的同学听时被老师看到了。

"汤玛斯·索亚，中午休息的时间到老师这里来一趟。"

汤姆心想，糟了，每次被叫出本名的时候都没有好事，是不是又要挨老师的教鞭？他立刻就好像从得意的巅峰跌了下来，扫兴万分。

到了中午休息时，汤姆提心吊胆地来到老师那里，想不到杜森老师竟没有一点儿生气的样子。

"呀，汤姆，好在你回来了，我以为你们都死了。那几天，我伤心得每天夜晚都睡不好觉。"

"老师，真对不住，让您为我们担心了。"

"那倒不要紧，只要你们能平安无事地回来，老师比什么都高兴。"

杜森老师紧握着汤姆的手，老师的愉快心情，就好像从他的手掌上传到汤姆的身上来了。

"可是，汤姆，你为什么要离家出走呢？"

汤姆正不知如何回答是好。杜森老师又问道：

"是不是怕老师责备你?"

"不是的，老师。过去我看了许多冒险的故事，只是想亲身经历一下而已……"

"哦，原来如此，我明白了。那些日子，你的脸色苍白无精打采，老师担心得不得了，原来你是为了这件事!"

"我现在已经恢复正常了。"

"是的，一个星期不见精神好多了，皮肤晒得通红，身体也显得更结实；恐怕连真的海盗看见你也会吓跑了呢! 哈哈——哈哈——"

杜森老师拍着汤姆的肩膀，扬声大笑。杜森老师从来都是摆出一副严肃的面孔，汤姆最怕的便是这位老师，像今天这样和蔼可亲的样子，汤姆从来没有看见过。

◉ 树 皮 为 证

放学回家时汤姆洋洋得意的，可是一进门就被姨妈揪住衣领，叫喊着说:

"汤姆，我简直想剥你的皮!"

"姨妈，我又做错了什么事情了?"

"哼，哼，你还敢问! 你竟把我当作大傻瓜，编了一套谎言来骗我，而我竟老老实实的相信你那些荒唐

的'梦'，还跑去告诉哈勃太太。哪知道她早就从乔奇
那里知道了一切实在的情形，害得我被她取笑了一
番。汤姆呀！你每每丢我的脸，等着让我来处置你。"

这件事可有了新的发展——汤姆在早上耍的花
样，本来他觉得那是很有趣的玩笑，还以为自己满机
智呢，可是现在被姨妈揭穿了底牌受到责备，才感到
羞愧万分，低下头来深悔不该欺骗姨妈。

"姨妈，请您宽恕我，这是我的不好。"

"你向来只是为你自己打算，从不替别人着想；你
只知从杰克逊岛跑回来侦查我们的动静，不但不同情
我们怎样为你悲痛和伤心，还编了一套梦话来哄我。"

"姨妈，我现在知道错了。不过，那天晚上我老远
地跑回来，也不是有意要和您开玩笑，更不敢哄骗您
的。"

"那么，你回来干什么？说！"

"想要告诉您我们并没淹死，请您不必担心。"

"汤姆啊，姨妈再老实也绝不会相信你这些鬼话
的。"

"姨妈，我的确有这种心意，我要是诓您，我敢赌
咒马上就死。"

"汤姆，你不要说谎了，你在我的面前早已失掉信
用了。"

"姨妈，我真的不是在说谎。我为了不愿让姨妈为

我担心，才偷偷回来的。当海盗固然有趣，可是，一到晚上四周黑漆漆的，又寂寞，又害怕！如果是姨妈在那荒凉的岛上，恐怕一个晚上也待不住的。"

"我为什么好好的家不待，要到那里去睡觉？"

"一到晚上，我就着急。我不知道乔奇的心里是怎么想法，我却是非常想念姨妈，恨不得马上飞回来。但是做海盗的如果说想家，那是太丢脸了。可是那天晚上，我还是偷偷地溜出来，在黑暗中摸索差一点儿就被急流冲走，好不容易爬到岸上才飞也似的跑回家来。"

"那可真危险，只要你有那种心，我也可以宽恕你的一切。可是你既然老远地溜回来看我，为什么却躲着不出来见我呢？"

"那是因为我听到你说要为我们在教堂里举行追悼会，我想如果能躲在教堂里看一看那场面，倒是一件好玩的事，所以又把那块树皮带回去了。"

"嗄，哪块树皮？"

"就是上面写着：

——我们没有死，只不过去做海盗罢了——的那块树皮。说真的，当时我真想在那天晚上吻您的面颊时，您能醒过来就好了。"

听到这句话，姨妈脸上的皱纹都松开了，眼睛里闪耀出慈爱的光辉来。

"汤姆,你真的吻了我吗?"

"怎么没有?"

"真的吗?汤姆!"

"姨妈,绝对是真的。"

"那你为什么要吻我?"

"那是因为我太爱您了。我看见您为了我在床上翻来覆去地很久不能入睡,心里一阵难过就弯下身子去吻您。"

这话说得好像不假,姨妈感动得声音颤抖着说:

"汤姆,再吻我一次就出去玩吧!以后再不要让我操心就好了。"

汤姆走后,姨妈立刻跑到小屋里拿出汤姆做海盗时所穿的那件破烂不堪的上衣来。可是姨妈拿在手上,却自言自语地说:

"不,不,不必找了,不必故意拆穿他,也不必追根究底,反正这个孩子一定是在撒谎;不过这种谎话我听了倒怪舒服的,只要他说出这种话来,还是不必找吧!"

姨妈把上衣又拿了回去,沉思了一会儿,又想去拿出来;两次伸手去拿,两次都把手缩了回来。但是最后一次,姨妈自言自语地说:

"纵然是撒谎也是善意的,我绝不会伤心。"

于是她搜查了一下那件衣服的口袋,果然搜到了

一块树皮。

姨妈口里念着汤姆在树皮上所写的话，感动得眼泪直流地说：

"汤姆，你这孩子，哪怕你再犯天大的过错，我也会原谅你的。"

● 代人受过

第二天，汤姆上学时路上遇见了蓓琪，他愉快地对蓓琪说：

"蓓琪，过去的事我向你道歉，我们重新和好吧！"

蓓琪停下来轻蔑地望了他一眼，说道：

"请你不要和我说话，汤玛斯·索亚先生。"

她仰起头来，神气活现地就走了过去。汤姆一看愣住了。

可是这位可怜的姑娘，她还不知道她自身马上就有麻烦了。

杜森老师在这镇上的小学校已经执教多年了。因为他立志当医生，每当学生做课业时他就拿出医学的书籍来看，但是没有一个学生知道他到底看的是什么书。

汤姆和乔奇以为他看的是海盗和探险一类的书籍；有的同学则认为那是历史书；有的坚持一定是关

于动物或植物学的书。大家都凭着想象来判断，没有一个人亲眼看到他看的是什么书，因为一到下课时，老师就把书本收在抽屉里并上了锁。

这一天到了休息的时候，当蓓琪从老师的桌子前经过时，居然发现钥匙还插在锁孔里。这是千载难逢的机会，她向周围张望了一下看见没有人，就打开抽屉把那本书拿出来翻阅。

那是一本很厚的书，封面上有"解剖学——某某教授著"的字样，她不懂得"解剖学"这个深奥的名词，好奇地翻开看了几页，翻到了一幅制版很精美的彩色插图那儿，便被吸引住了。

这时候她发觉有一个人影在她的身旁，吓得回头一看原来是汤姆。

蓓琪急忙把那本书阖上了，可是因为过度的惊慌，不小心把那张精印的插图从中间撕开了，她连忙把那本书塞进书桌的抽屉里，又羞又恼地大哭起来。

"汤姆·索亚，你这样偷偷地溜进来不算还偷看别人在看的东西，真是下流透了。"

"我怎么知道你在偷看老师的书？"

"汤姆，我知道你会告诉老师的。啊！怎么办哪？都是你，害得我把书撕破了。我一定会挨老师的骂，说不定还会挨打呢，我过去从来没有挨过老师的打骂，这一次……呜呜……"

于是，蓓琪哭着跑了出去。汤姆被她这一阵哭闹吓得愣住了，随后他才自言自语地说：

"蓓琪真是个怪人，说在学校没有挨过打，呸！挨打算得了什么，女孩子就是这样，脸皮薄，胆子小……我根本不会向老师报告的，要和她算帐有的是方法，用不着那样卑鄙。可是，到时候老师一定会一个个叫起来问，她心虚马上会被老师看破，那么一定会挨打的，这叫做自作自受，活该！"

汤姆把这桩事仔细分析了一番，心里想：

"让她干着急等着吧！要是我碰到这种倒霉的事情，她心里说不定还高兴呢！"

然后，汤姆跑到操场上去和同伴胡闹，把这桩事忘得一干二净。可是，下一节的作文课开始时汤姆又关心起蓓琪来，他不断偷偷看着女同学那边，发现蓓琪显得神色不安。

"要是被老师发现了，该怎么办！过去，大家都以为我是好学生，如果挨了打那多没面子呀！我刚才为什么不求求汤姆，替我出个主意？汤姆一定有办法，啊！我为什么还要骂他！"

她很后悔，但是经她思索了一会儿，终于下了决心。

"我不承认好了，我绝不承认是我撕破的。"

杜森老师出了一个作文题目以后，每个同学就绞脑汁想把文章做好。教室里除了笔落在纸上沙沙作响外，真是静极了。

夏日里，将近中午的时候空气特别沉闷，杜森老师不觉打了一个呵欠，这种天气简直使人昏昏欲睡。他心不在焉地把手伸到抽屉里去，但犹豫了一会儿。这时候别的同学都专心在写作文，只有汤姆和蓓琪战战兢兢地注视着老师的动作。

老师又把书拿了出来，糟了！糟了！

汤姆向蓓琪瞟了一眼，蓓琪已经低下了头。

汤姆当时很同情她，但一时之间也想不出好的办法来。

这个时候老师已经把书翻开，他马上抬起头来向全班的同学扫视一下，满面怒容地说：

"你们同学中，是谁把老师这本最心爱的书撕破了？"

大家一听都停下笔来，却没一个人发出声音。

"洛杰斯，是不是你撕的？"

"不是我，老师。"

"乔奇·哈勃！"

"没有，我根本没有动过那本书。"

问过几个人之后，轮到汤姆了。

"汤玛斯·索亚，是你吧？"

汤姆当时心里想：

"应该怎么样回答呢?"

他终于还是摇摇头,回答说:

"不是的。"

男生都问完了,该问女生了。

"露莉丝·密勒,是不是你?"

她摇摇头。

"苏珊·哈勃,是你吗?"

她也摇摇头。

眼看就要问蓓琪了,汤姆紧张得浑身发抖。

"蓓琪·萨其尔!"

汤姆看了一下蓓琪,蓓琪的脸色已经吓得发白。

"蓓琪,难道是你撕破的吗?为什么老看着下面? 喂!把头抬起来!"

这时,有一个念头像闪电似的,在汤姆的脑子里 突然浮现了。他马上站起来大声嚷道:

"老师,那是我不小心撕破的。"

杜森老师听到这句话,一肚子的气立刻爆发起 来。他抓起教鞭狠狠地打了汤姆一顿,又在放学后另 外加罚他站两个小时。

全体同学都惊奇汤姆竟有如此的举动,而蓓琪却 用充满感激和敬重的眼神注视着他,就凭这一点,他 认为即使挨一百次打,也是值得的。

第 三 章

● 快要开庭了

眼看就要放暑假了。

汤姆预先计划好了很多种玩法，期待着它的来临。可是当假日真的开始时，他的一切计划都落空了。因为他患了麻疹，必须躺在床上休养。

而且，因为不听姨妈的劝告擅自离床到镇上玩了一次，使病情加重，不得不又多躺了三个星期。这一段时间，在汤姆来说简直比一世纪还长。

经过医生仔细地诊治和姨妈小心地看护，汤姆的病情日渐有起色，如今已经能够站起来走动了。可是，当他到外面去看看时，觉得世界已变了样，根本就看不见朋友的影子，偶尔遇到了也都是骨瘦如柴，面色苍白。

原来这一年的夏天麻疹大流行，大部分的孩子都被传染上了。乔奇也不例外，连夏克也被病魔缠住了。这真是一个令人扫兴的暑假！

当假期快结束的时候，彼得的杀人案就开庭审问了，这桩事立刻成为镇上的谈话题材。

在汤姆的脑海里始终无法忘掉这件事，每当有人谈到这桩杀人案时，他的良心就会受到谴责而感到坐立不安。要说他真的忘了这件事，那只有在杰克逊岛上沉迷在海盗生活的短短一个星期里。在这之前，汤姆老是感到郁郁不乐，这也是他离家出走的原因之一。

有一天，汤姆把夏克拉到僻静的地方，想试探一下他的心意。

"夏克，那件事，你可曾告诉过别人吗？"

"哪一件事？"

"就是那一件事啊，别装傻，你是知道的。"

"喔！当然没有。"

"真的吗？"

"我对任何人都没有说过，你不相信，我敢发誓，你为什么怀疑我？"

"不是怀疑你，只是担心而已。"

汤姆听他这么一说才放下心来，停了一会儿他又说：

"可是，夏克，镇上的人如果要拿话来套你，你怎么办？"

"拿话来套我？别开玩笑，我怎么敢讲，难道我不怕那印第安人卓伊杀我吗？"

"你这样说，我就放心了。只要我们不讲，就不会出事的。不过，我们还是应该重新发誓才靠得住。"

"好的。"

于是,两个孩子又郑重其事地写了一次誓约。

"夏克,你听到大家都说些什么了吗?"

"还不是那一套,总是谈沫夫·彼得如何的坏,我一听到人家说他的名字就冷汗直冒。"

"我还不是一样。咳!沫夫·彼得大概没希望了。喂!夏克,你不觉得他很可怜吗?"

"当然觉得他太可怜了,大家都说他是个流氓,可是我觉得他从来没干过杀人的坏事,他不过是钓钓鱼赚点钱喝点酒,到处游荡而已。可是,像这种人不只他一个,说到懒惰,我们还不是一样。对不对?汤姆,我认为他的心地满好的,有时我钓不到鱼,他还把钓到的鱼分给我呢。"

"夏克,说起来他还常帮我扎风筝、拴钓鱼钩儿,我们不能搭救他逃出来吗?"

"哎呀,汤姆,那不行,我们没办法干那样的大事,就是真的能搭救他逃出来还不是马上又被抓回去。"

"你说的对,就是逃出来也没有地方可跑。不过,一个没有罪的人被人看成像魔鬼一样,我真有点儿替他抱不平。"

"是呀,他们还说沫夫·彼得长得一脸凶相,早就应该判处死刑;如果不判死刑,大家也要活活地打死他。"

"看情形，他们是干得出来的。"

两个孩子谈了很久，可是，沉重的心情并没有因此而轻松。

天色渐黑的时候，他们两个在郊外的监狱附近徘徊着。他们想，人力既然已经无法挽救，只有寄望在神的力量上了。可是，他们始终不曾看见有什么天使或是神仙，前来搭救这位无辜的可怜虫。

● 可怜的沫夫·彼得

不久，汤姆和夏克又悄悄来到监牢的铁窗边。

沫夫·彼得由于案情重大被单独关在一间土牢里。他们以前也曾趁着看守不在的时候来过几次，这一次，他们同样的又给他带来香烟和火柴。

每当彼得收到他们的东西时，都是流着眼泪再三向他们道谢，但是那样更会增加他们心灵上的不安。尤其是他的死期已迫近了，也许今晚就是他们最后一次的会面，一想到这里汤姆和夏克的心就像被刀子割了一样。

沫夫·彼得被关在监狱里已经很久了，脸上长满了胡须，显得非常憔悴；深深陷进去的两只眼睛毫无神采。他有气无力地说：

"孩子们你们对我太好了，比这镇上的任何人都好，我死也不会忘记你们的。

"我在这黑暗的地方常常自言自语：我从前常替镇上的孩子们扎风筝，告诉他们钓鱼的好地方，可是现在老沫夫出事了，他们都把我忘记了，只有汤姆和夏克没有忘记我，所以我也绝不会忘记你们两个的。"

两个孩子感动得流下眼泪来。

"咳！我不该说这些话，害得你们为我流泪。不过我有句话要对你们说，你们长大后千万不要喝酒，酒后最容易误事。我要不是喝酒的话，绝不会被关进牢里来！至少你们要相信，我并不是一个想杀人而杀人的人。"

"相信，我们都相信，上帝也一定相信的。"

汤姆和夏克只好流着泪这样说。

"你们这样说，我很高兴。我每次一喝醉了什么都不知道，直到现在，我对于自己所做的事还是想不起来。不过，任凭我怎么说也没有用了，大概没错，人是我杀的，我会被处死刑的。"

"可是，沫夫，这是无意中做出来的事，也许不会判处死刑……"

"不，不，你们的好意我懂得。但是我知道我绝不会被减刑的，反正我最近也想开了，与其活着丢脸倒不如死去的好。"

可怜的沫夫·彼得，似乎已看破了一切。但是汤姆和夏克却不堪良心上的谴责，他们想，只要他们说出："我们亲眼看见杀医生的并不是彼得。"那么，沫夫·彼得不就可以得救了。

汤姆俩对于自己的胆小和不忠实感到惭愧，可是两个人已经再三地发过誓，绝对不能说出来。

"喂，汤姆和夏克，你们靠近一点，让我看看你们的脸！就这样……对，对了，一个人被关在牢里，能够看到亲切而熟悉的面孔，那是多么的高兴呀！

"怎么样？能不能轮流站到另一个的背上，让我好摸摸你们的脸？……好，好，我们握握手。请你把手伸进来，我的手太粗大了伸不出去，哦，好小的手。可是，这些小手帮老沫夫的忙可真大呀。谢谢你们！"

汤姆带着满脸泪痕回到家里，当天晚上整夜都做着噩梦。

第二天、第三天，他都不断地徘徊在法院的门前，他几次想跑进去告诉他们真实的情形，但是总提不起脚来。

汤姆竖起耳朵注意听着从法院出来的人们的谈话，所听到的那些话都是对沫夫·彼得不利的。

情形越来越对沫夫·彼得不利了。第二天的下午镇上传播着谣言，都说印第安人卓伊的证言确实可靠，陪审团将怎样判决那是不问可知的了。

● 意外的证人

汤姆那天夜里在外面待到很晚，才从窗户爬进来睡觉，但是，辗转反侧很久都没法睡着。

第二天是决定沫夫·彼得命运的日子，镇上的人们，在一大清早就都拥到法院来等候开庭。旁听席上很早就挤满了人群。

等了好久，陪审官们才走进法庭各就各位。接着，沫夫·彼得戴着镣铐被押上庭来。他面色惨白而憔悴，现出畏怯而无可奈何的样子。坐在旁听席上的人们，用好奇的眼光望着他。坐在证人席上若无其事的印第安人卓伊也和沫夫·彼得一样，受到旁听人们的注目。

过了一会儿，法官进来了。他庄严地宣布开庭，然后介绍检查官和律师，并忙着翻阅参考文件。庭里大家肃敬地等待着审判的开始。

这时候，有一位证人被叫出来作证。他证明在惨案发生的当天清早看见沫夫·彼得在小河里洗手，并看见他很快就溜走了……

然后，检查官向被告的律师说：

"对证人的证词有疑问时，可以提出质问。"

疑犯沫夫·彼得抬起头来向自己的辩护律师看

了一眼，但当他听到律师只简单地说：

"我没有什么要提出质询的。"

他又失望地垂下眼皮。

第二个证人证明在尸体附近发现凶器。检察官问道：

"对证人的证词有没有疑问？"

犯人的辩护律师又很干脆地回答：

"没有什么疑问。"

第三个证人说，他看见沫夫·彼得常常带着那把刀。沫夫·彼得的律师仍然表示不提出质询。这样一来，旁听席上的听众都愣住了。照理说，这个律师应该替沫夫·彼得辩护的，但是他那种漠不关心的样子，就像见死不救。

接着又有几个证人，都证明沫夫·彼得在杀人现场有畏罪的行动。

以上的证词都对被告极为不利，但被告的律师都没有提出反驳，就让他们离开证人席。

旁听的人惊疑和不满的声音喧嚷起来了，法官只好连敲木槌要大家保持肃静。

可是，被告的律师仍旧不为被告辩护。于是检察官说道：

"对于证人的证词既然没有怀疑的地方，可见这重大的犯罪行为毫无疑问的是被告干的了。"

可怜的彼得，双手蒙住脸发出一阵呻吟。

这时，一片可怕的沉寂笼罩了整个法庭。突然被告的律师向法官说：

"庭长，本案最初审讯的时候，我在辩护词中曾表示被告是因为在喝醉了酒神志昏迷的情形下，才做出这种杀人的行为。可是现在我的想法改变了，我申请撤回那一次的辩护。"

然后，他又向书记官说：

"请汤玛斯·索亚出庭作证！"

法庭上所有的人，都对这意外的发展感到惊奇，连当事人沫夫·彼得也不例外。

汤姆站了起来走到证人席的时候，满场的视线都集中到这孩子的身上。一向天不怕地不怕的汤姆，这时却显得战战兢兢的样子。

他照样先宣誓，然后被告的律师问他道：

"汤玛斯·索亚，六月十七日晚上十二点钟左右，你在哪里？"

汤姆看到印第安人卓伊那种满不在乎的态度，他的舌头就好像打了结一样不听使唤了。听众屏住了气息静听着，汤姆紧张得说不出话来。过了好一会儿，他才强自镇静开口发言，但声音细小得只有法庭上少数人可以听到。

"在墓地里。"

"请你大声点儿，不要怕，你在……"

"墓地里。"

印第安人卓伊听到这句话眉头皱了一下，但是马上又现出了无所谓的微笑。

"你是在霍斯·威廉坟墓的附近吗？"

"是的，律师。"

"再大声一点儿好好地回答，距离坟墓有多远？"

"大概有我和您现在的这个距离。"

"你是躲在那里吗？"

"是，是的。"

"躲在什么地方？"

"躲在坟墓旁边的几棵榆树后面。"

印第安人卓伊听了肩膀抖动了一下，但并没人注意到。

"有谁和你在一起？"

"嗯，和我在一起的是……"

汤姆似乎不愿牵连到夏克，他犹豫了一下。

"别忙，等一等，先不必说出他的名字，有必要时我们自会把他请来。那么，你到墓地时，手上带着什么东西？"

"……"

汤姆有些迟疑，脸色也显得慌张了。

"孩子，你大胆说吧！说实话，诚实最重要！"

"带了……一只死猫。"

全场立刻掀起一片笑声，庭长把笑声制止了。

"我们要用那猫的尸体来做证物。现在，请你把当时所发生的事情详详细细地告诉我们。你说实话，不要怕！"

汤姆开始说了，起先他还有些吞吞吐吐，后来越说越流利，满场寂静得没有一点儿声音，每一双眼睛都注视着他，惟恐漏听了一句。

当汤姆说到那惨无人寰的场面时，听众的情绪达到最高潮。

"……医生拔出十字架用力打过去，把沫夫·彼得打得昏倒在地上。这时候，那印第安人卓伊，捡起地上的刀子猛一下……"

哗一声，印第安人卓伊打破窗子从窗口飞也似的逃走了。有人想起来拦阻他时，他已跑得无影无踪了。

● 事后的担忧

在公开审判的前一天晚上，汤姆去找律师把事情的原委告诉了他，才使沫夫·彼得得以申冤，挽救了他的性命。

因此，汤姆又再度成了一位更了不起的英雄。第二天的报纸都以头条新闻刊载了这件事，并用大号字写出汤姆的名字，赞扬他富于正义感和充满了勇气。

白天，汤姆总是风头十足，洋洋得意，可是一到晚上，情绪就陷入恐惧中。他每天夜里都梦见印第安人卓伊，用那凶光外露的眼睛盯着他，所以只要日落西山，就是再好玩的事汤姆也不敢走出家门一步。

有一天，夏克责备汤姆不该违背他们两个人订的誓约。

"从那时以后，我才知道人是最靠不住的。"

"你也别怪我，我们不能眼睁睁地看着一个无辜的人被判死刑呀！我认为把秘密说出去等于做了一件好事，心里才痛快，沫夫·彼得不是那样的感激我们吗？"

"事实虽是那样，不过，汤姆你不爱惜自己的生命吗？那印第安人卓伊绝不会放过我们的。一想到他，我就怕得不得了。"

"你还不要紧，因为你并没有到法庭的证人席上去做证人，他不会知道你的。"

"可是，你在那一天晚上不是都对律师说了吗？所以我的名字也一定会传到卓伊的耳朵里去的。"

"不会的，我已经关照过那位律师了，不要说出你的名字来。"

"那也靠不住。不过，汤姆你一点儿也不怕吗？"

"怎么不怕？白天还好，一到晚上我就后悔。当然，我们不说出去是最安全的。"

"在卓伊还没被逮捕以前，我们再也不能安心地过日子，真讨厌。"

"他一定会被抓到的，夏克。"

"汤姆，你怎能断定他会被抓到？"

"也许吧？"

"你想想，他只一刀就把那医生杀死了，多可怕！何况，他想要我们的命根本不必动刀子，看他那两条粗胳膊，要捏死我们不是跟捏死一只小鸡一样容易吗？"

"夏克不要讲那些丧胆的话了，我们不要老是往坏的方面去想。"

"谁也不愿意往坏的方面去想。总之还是那一句话，在他没有被逮捕处死以前，怎么也不会安心的。"

事实上警察机关马上就展开搜索凶犯的工作，悬赏的布告也贴了出来，可是那印第安人卓伊仍然无影无踪。

时间一久，搜捕的工作也就松懈下来，镇上的人们也渐渐淡忘了，于是这轰动一时的案子就静了下来。

日子一天天地过去了，两个孩子的恐惧心也逐渐消失了。

◉ 想 要 挖 宝

在美国，很早就传说着海盗在各处埋藏有金银财宝的故事。

有冒险性的男孩子差不多都有一种炽热的欲望，想要到某个地方去挖宝。

有一天，这个欲望忽然涌上了汤姆的心头，他立刻去找乔奇·哈勃，可是没有找到；随后又去找班恩·洛杰斯，碰巧他也去钓鱼了。

失望的汤姆正想回家时不期遇见了夏克这个血手魔王，立刻把夏克叫到僻静的地方，然后把自己的心意告诉了他。正在闲得无聊的夏克，当然很赞成。

"那太好了，可是，我们到哪里去挖呢？"

"随便哪里都可以。"

"嘎，难道任何地方都埋藏着财宝吗？"

"也不是任何地方都有，财宝总是埋在特别的地方，有的埋在岛上的岩石底下，有的埋在枯萎的树根下，有的埋在恰好半夜十二点月亮所照的阴影下，但是大多数都是埋在闹鬼的房子里的地板下。"

"是谁埋的呢？"

"咳，当然是强盗埋的啦，难道还会是主日学校的校长吗？"

"他们何必费那么大劲儿把财宝埋起来？要是我早就把它们花掉，去过那舒服的日子了。"

"如果是我，我也会花掉。可是强盗就不能这样，因为他们一下子拿出太多的钱会被人怀疑的。"

"他们为什么埋了以后，不回来拿呢？"

"当然是想回来拿的，可是有时忘了埋藏时的记号，无从找起；有的是被杀了，所以那些财宝就永远埋藏在地下了。后来有人找到一张发黄的旧纸条儿，上面写着怎样去找那些记号。这种纸条儿非得花一个星期以上的工夫看不懂，因为那上面差不多都是些密码和象形文字。"

"什么叫做象形文字？"

"用图画或各式各样的记号来表示意义的字。"

"汤姆，你有那样的纸条儿吗？"

"没有。"

"嘎，那你怎么去找那些记号呢？"

"我用不着什么记号，强盗埋宝的地方都是一定的，不是小岛上的岩洞里或闹鬼的房子底下，就是枯树根下。我们不是在杰克逊岛上找过一次了吗？以后，还可以去找找看。还有，静舍小河上游的那幢闹鬼的房子以及大的枯树底下，到处都有。"

"所有的枯树底下，都有财宝吗？"

"真糊涂！哪里会每一棵树底下都有！"

"那你怎么知道，哪一棵枯树底下会有？"

"一棵一棵地去挖挖看！"

"那多费事，整个夏天也挖不完呀！汤姆。"

"那有什么关系，你想想看，假如你能挖到整箱子的金币或钻石，花整个夏天的时间也值得呀！"

夏克听他这么一说，眼睛闪闪发光了。

"那太好了。可是，我要金币不要钻石。"

"好吧！钻石都归我，你不知道一颗钻石就值好多金币呢！"

"嘎！真的吗？"

"当然是真的，不相信你可以去问别人。夏克，你看见过钻石吗？"

"没有。"

"国王都有成袋的钻石。"

"什么叫做国王？"

"在我们美国是没有。可是在欧洲有好多的国王呢，他们都神气得很。"

"国王为什么都会那么神气呢？"

"咳，因为有钱呀。像驼背的老理查也是国王。"

"理查，他姓什么？"

"国王只有名字，没有姓。"

"我可不想当国王，没有姓多可笑，跟黑奴一样光有一个名字。可是汤姆，我们到底从哪里挖起？"

"我也不知道，我们还是先从静舍小河对岸小山上的那棵老枯树开始下手吧！"

"好的。"

● 汤姆和夏克的幻想

汤姆和夏克带着一把十字镐和一把大铁锹，走了四公里路，到达目的地时已经汗流浃背了。

"喂，夏克，我心里真高兴。"

"是啊，一定很好玩。"

"夏克，我们要是在这里挖到了财宝，你打算做什么？"

"我嘛，那我就天天吃大肉包，喝汽水；每次马戏团来了我都去看，而且要坐在最前排。这样，日子一定过得很舒服。"

"那么，你不打算存一点儿起来吗？"

"存起来？存起来做什么？"

"将来好有钱过日子呀！"

"哼，我要是不趁早都花掉，我爸爸回来不拿去喝酒才怪哩！可是汤姆，你那一份要怎么花呢？"

"我要买新风筝、锋利的宝剑、红的领花和一只小狗，然后结婚。"

"结婚？"

"是啊！"

"汤姆，你疯了吗？"

"你怎么这样说？"

"我告诉你吧！结婚是傻瓜才会做的事，你看我爸和我妈一年到头都打架，我看都看怕了。"

"那可不一定，我绝不会跟和我结婚的女孩子打架。"

"汤姆，我劝你还是多考虑一下女人都是一样的。不过要跟你结婚的那个姑娘叫什么名字？"

"不是姑娘，是小姐。"

"不管叫姑娘或叫小姐，还不都是一样，她叫什么名字？"

汤姆的心里是希望长大了和蓓琪结婚，但是这件事怎能轻易说出口呢？

"将来再告诉你吧！现在还不能说。"

"好吧！不过你要是真结了婚，我更寂寞更孤单了。"

"不会的，你可以到我家跟我们住在一起。现在我们先别谈这些，开始挖宝吧！"

他们工作了半小时，累得浑身大汗什么也没挖到。接着又苦干了半小时，还是一无所获。

夏克叹了一口气说：

"强盗是不是把宝埋得很深？"

"不一定，有深有浅，我们大概挖的地方不对。"

于是，他们又另外找了个地方重新动手挖，这回挖得不大起劲了。

到后来，夏克靠着铁锹用袖子擦着额上的汗水说：

"汤姆，我们大概又挖得不是地方吧？"

"我看不如到道格拉斯寡妇家后面，卡狄夫山上那棵老树底下去挖。"

"那个地方好是好，可是我们挖出来的财宝会不会被那寡妇抢去？因为那棵枯树是在她的土地上。"

"她敢！这种财宝谁挖到就是谁的，与土地无关！"

夏克认为汤姆说的很对，于是他们就赶到那里去，一到那里就开始工作起来。可是，挖了一会儿就停了下来。

"汤姆，这里也没有，我看还是不对劲。"

"奇怪，夏克，是不是魔鬼在捣我们的蛋？要不然为什么挖了大半天还看不到宝藏？"

"别胡说！魔鬼在白天是不会出现的。"

"对了，我知道。我们怎么这样傻呢？我们要到晚上十二点，找大树的影子投射的地方来挖才行啊！"

"我们忙了大半天，卖了这么大的力气都白费了。晚上再来好了。可是汤姆，今天晚上你有办法溜出来吗？"

"我能溜出来。我们非要在今天晚上来挖不行，因为要是有人看见挖了这些窟窿，他们马上会知道这附近埋着财宝，那么他们也会打主意了。"

"那么，今天晚上，我还是用那信号。"

"好的，我们就把家伙藏在树丛里吧！"

● 午夜十二点

两个孩子当晚按照预定的时间，又一起到了那里。

他们坐在树底下等着十二点的来临。那里是一块很荒凉的地方，树叶子被风吹得沙沙作响，好像是妖精们在悄悄细语。在阴暗的角落里，像有鬼怪埋伏着。远处传来凄厉的狗吠声，猫头鹰也用它那阴沉的声调应和着。

一会儿，汤姆和夏克认为猜想的十二点钟到了，他们就在树影子的地方画了记号，便动手挖起来。

他们因为想得到财宝，也就忘了四周的阴森可怕，一心一意地挖掘，越挖越起劲。每当听到有东西碰到铁锹发出声响时，他们就很兴奋地以为找到宝箱；可是每次都大失所望，那只不过是一块石头或一块木头而已。

"夏克，我们大概又找错地方了。"

"绝对不会的，我们把树影子的地点画得很正确，一点儿也不错呀！"

"对是对呀，可是，另外还有一点。"

"哪一点？"

"我们认为十二点只是猜想的，说不定太晚或太早了呢！"

夏克把铁锹丢在地上了。

"对了，我们没有表，永远不可能算出准确的时间。我不知道为什么，总觉得有一种可怕的东西跟在我的身边，我来到这里简直怕死了。"

"是啊，我也怕，听说强盗把财宝埋在地下时，上面都要埋个死人。"

"为什么要埋个死人？"

"叫他来看守那些宝藏阿！"

两个人说着就靠近了些。

"汤姆，那是真的吗？"

"是的，我经常听到别人那样说。"

"汤姆，我不喜欢在有死人的地方待得太久，跟死人在一起总会惹出麻烦来的。"

"我也不喜欢和死人打交道，万一埋在这里的死人探出头来说话……"

"汤姆，你别再说下去了，真要吓死人了。"

"啊！夏克，我心里好不舒服呀。"

"喂，汤姆，我们不要在这里紧挖了，到别处去看看吧！"

"好的，可是到哪儿去呢？"

汤姆想了一会儿，才说：

"就到那幢闹鬼的房子去吧！"

"不，汤姆，我不敢去，闹鬼的房子更可怕。"

"你错了，鬼虽然可怕，但都在黑夜才出现，我们白天去挖怕什么？"

"可是，你该知道，就是在白天也没有人敢走进那幢房子里去呀！"

"咳，那是因为几年前那间屋子里有人被杀了，所以人们都不喜欢进去。可是，除了晚上谁也没有看见什么，而且晚上也只不过是看见一些蓝色的火光由窗口闪过，并不是有鬼在那里。"

"蓝色的火光？说不定在火光后面就有鬼跟着呢！因为，只有鬼才使用蓝色的火光呢。"

"反正他们白天不会出来，我们白天去挖还怕什么？"

"你既然这样说，我们明天就试试看吧，不过这总是一件冒险的事。"

两个人边讲边走下山去。

借着黯淡的月光，可以望见遥远的那幢鬼屋远远的孤立在山谷里，围墙早就没有了，杂草长得快遮住了入口的石阶，屋顶也陷落了一角。

汤姆和夏克握紧了手，仔细地看看那窗口有没有蓝色的火光闪过；然后，两人一面低声谈着话一面尽量往右边走，远远地躲开那间闹鬼的房子，穿过卡狄夫山后的树林走回家去。

● 不吉利的星期五

第二天中午，汤姆和夏克又来到那棵枯树前，那是为了取回昨晚摆在丛林里的十字镐和铁锹。

"夏克，咱们快点儿去吧!"

"好的。"

夏克兴冲冲地刚要走，突然想起了什么便停下了脚步。

"喂，汤姆，你知道今天是星期几吗?"

汤姆想了一会儿，忽然以惊骇的神情说:

"糟糕，我怎么没想到这一层。"

"我也是，直到现在才想起。"

"怎么办? 夏克，这件事可要小心，咱们偏偏找到这最忌讳的星期五去干这种事，说不定会遭殃。"

"你还说不一定呢，我想准没错儿，黄道吉日多得很，我们改一天再去不好吗?"

"谁也知道这一天不好。"

"汤姆，不但这样，昨晚我还做了个怪梦，梦见老鼠了。"

"这就是有麻烦的预兆，那老鼠打架了没有?"

"不，没打架。"

"哦，那还好，没打架只是灾难即将来临的预兆，我们只要小心预防就好了。"

"那么，汤姆，今天我们就不要到闹鬼的房子那儿去了!"

"好的，那我们正可以利用这机会玩个痛快。夏克，你知道罗宾汉的故事吧!"

"不知道，罗宾汉是什么样的人?"

"是英国最有名的人，而且是个顶呱呱的人。"

"我知道了，一定是个国王。"

"不是，是个侠义的盗贼。"

"盗贼? 真了不起，我也想当盗贼。可是汤姆，什么叫做侠义的盗贼呢?"

"专门抢那些贪官污吏和邪恶主教的财物，不但不跟穷人为难，而且还把偷来的东西分散给他们。"

"啊! 那他是个好汉了!"

"当然喽，全英国没有一个人能比得上他的，他只要用一只手跟任何人比武都会赢的!"

"如果印第安人卓伊跟他比，谁会赢?"

当汤姆听到了这个几乎已经忘记了的凶手的名

字时，不觉打了个冷颤，但马上就挺起胸膛说：

"喂，夏克，你比得简直不伦不类，那个杂种如果在罗宾汉的面前早就吓得魂不附体了。"

"啊，汤姆，要是罗宾汉还活着该有多好，我们马上做他的部下，一起去打那印第安人卓伊。"

"我也是这么想，他不但力气大，还是射箭的名手呢！他拿起他那把杉木长弓，离开两公里半的地方就能射中一个一毛钱的银角子，而且百发百中。"

"什么叫做杉木长弓？"

"我也不知道，总而言之是一把弓就是了。他如果射不中银角子的正中心，还会坐在地上哭呢。"

"夏克，我们就扮演罗宾汉玩吧！一定很好玩，我来教你。"

"好的，赞成。"

于是两个孩子暂时放弃那掘宝的工作，整个下午玩着罗宾汉的游戏。

● 闹鬼的屋子

星期六快近中午的时候，汤姆和夏克来到了那间鬼屋。

太阳炙热地照着大地，但是四周一片沉寂，那幢荒凉简陋的住宅呈现出一种难以形容的阴森气氛。

两个人硬着头皮好不容易才走到门口，颤抖着向里面窥探了一眼，只见房间里已经没有地板，地面上长满了杂草，墙壁斑剥不堪，窗户都没有了玻璃，楼梯也腐朽了，屋内仅存有一个古老的壁炉，到处都结满了蜘蛛网。

两个人蹑手蹑脚地走了进去，脉搏都跳得很快，说话的声音也很轻，他们竖起耳朵倾听四周的动静，并且两个人事先约好了，万一有什么不妥当时马上拔脚就逃。

过了一会儿，两个人的胆子渐渐大起来，仔细地察看一番第一层的每一个角落；接着又想看看楼上，但觉得似乎有断绝归路的危险，不过在互相激励了一番后就丢下了十字镐和铁锹，爬了上去。

楼上的情景也是一样的荒凉，角落里摆着壁橱，打开来一看里面什么也没有。

这时，他们的勇气大增，正想走下楼来动手去挖宝。

"嘘！"汤姆说。

"怎么回事？"

只见夏克吓得脸色发白。

"嘘！……来了，……你听见了没有？"

"啊！糟糕，咱们快跑吧！"

"不！夏克，别做声，好像有人从正门进来了。"

两个人趴在地板上从地板缝儿窥视下面的情形，这一下可吓得他们魂不附体了。

"他们站住了……不，过来了，不要再讲话了。"

果然有两个大人走了进来，一个是最近在镇上看见一两次的又聋又哑的西班牙老头子，留着白色的落腮胡子，长长的白头发从宽帽沿下垂下来，还戴着太阳眼镜。另一个人则衣衫褴褛，面貌丑陋，两个孩子从来没有见过他。

他们两个人面对着门口，靠着墙壁坐了下来。

从来没有见过的那个人，扫视了一下四周才用沙哑的声音说道：

"不，不行，那件事我想了又想还是干不得，太危险了。"

"危险？"

那个又聋又哑的老西班牙人大声吼着，使两个孩子大吃一惊：

"你真没出息！"

这个声音更吓坏了他们！因为他们听出那是印第安人卓伊的声音，原来他是为了避人耳目，才化装成西班牙人的呀！

停了一会儿，卓伊又说：

"你说危险，我看没有比上回干的那件事更危险的了，可是到现在还不是没有人知道吗？"

"那是因为在河的上游，附近又没有人家，当然不会被人发觉。但是，白天到这里来却是非常危险的，因为谁看见了都会疑心我们。"

"我当然知道，可是自从我干了那件事以后，不到这里来躲避叫我到哪里去呢？不过，我迟早总要离开这里的。昨天我正想走出去的时候，突然发现远远的有两个可恶的野孩子在玩，害得我一直不敢出去。"

原来那"两个可恶的野孩子"指的就是汤姆和夏克，没想到他们扮演罗宾汉的游戏时被他看见了。

汤姆和夏克听了越想越害怕，星期五真是个不吉利的日子，好在多等了一天。可是现在怎么办？早知道这样，等一年也要等下去。

这时，楼下的两个人拿出一些吃的东西来。稍停，印第安人卓伊又说话了：

"我看你还是先回到小河上游的老地方吧！等我回到镇上看看情形，可以下手的时候再通知你，一块儿去干那桩事。干完了，就溜往德克萨斯州好了。"

对方点点头。两个人好像都累了，接着都打起呵欠来。卓伊又说：

"我好想睡觉，这回该轮到你把风了。"

他蜷缩着身子躺在乱草里，马上鼾声大作。不久那把风的人也打起瞌睡来了，他的头垂得低低的，一会儿两个人都呼呼大睡了。

两个孩子这才松了一口气，汤姆说：

"现在正好逃走，夏克，快！"

"那可不行，他们会醒过来的。"

"不要紧，他们睡得正熟，现在逃走绝没问题。"

"我可不敢，万一惊醒他们，准没命！"

汤姆不顾夏克的反对，慢慢站了起来，打算独自动身，可是他刚走了一步，就踩得那破楼板嘎吱嘎吱作响。汤姆吓慌了连忙又趴在那里，还好楼下的两个歹徒睡得很熟，没有被吵醒。

两个人连气都不敢出躲了三个多钟头，这一段时间，在他们来说简直长得像一百年。

时间一分一秒地过去了。昼长的夏天，太阳也渐渐下山了，他们也许要等到夜晚才出去，在他们没走以前这两个孩子一动也不敢动。

● 装着金币的箱子

过了一会儿，印第安人卓伊醒了，他坐起来便向四周张望。

当他看到他的伙伴的头低垂到膝盖上时，便露出了狰狞的微笑，然后用脚把他踢醒，说道：

"你这把风的，倒睡得这样熟，还算好没出什么事。"

"哎唷，我什么时候睡着的？"

"喂，伙计，我们该走了。可是，放在这里的钱怎么办？"

"我看还是藏在这里好，六百五十个银币带在身上也不轻呀！"

"好吧，就这样办，以后要用的时候再来拿。"

"不过还是要在夜里来拿，比较安全。"

"当然喽，在我们动手干那件事以前，至少还有一段时间。你要小心不能随便乱放，我看最好把它埋起来，要埋深一点儿。"

"对，你想得真周到。"

卓伊的伙伴立刻走到暖炉前，搬起里面的一块石头，拿出一袋很沉重的东西。

袋子里放的都是银币，他从里面掏出二三十个来，然后又拿出同样的数目，递给那正用猎刀挖地的卓伊。

两个孩子顷刻之间把一切的恐惧和不安都丢在脑后了，只瞪大着眼睛看着他们的一举一动。

六百多个银币，在他们来说是一大笔财产，不用东找西挖就可以到手，这是多好的运气！他们用肘子轻轻地互推了一下，露出会心的微笑互相示意，好像是说这一趟并没白来。

没有多久，卓伊的大猎刀不知碰到了什么。

"呀!"他惊叫起来。

"怎么了?"他那个同伴这样问。

"是腐烂了的铁板?咦,不对,是个铁箱子。喂,来帮帮忙。我已经挖了一个窟窿了。"

他把手伸进去,抓出一些东西来。

"哇,是钱呀!"

两个人凑近在一起仔细端详,原来那是金币。

在楼上的那两个孩子,显得比卓伊他们两个人还要兴奋得多。

这时卓伊的伙伴说:

"我们要赶快挖才好,刚才我看见在暖炉那一边有生锈的十字镐和铁锹。"

他说着就跑过去把十字镐和铁锹拿了过来,卓伊拿在手上打量了一下,说:

"奇怪,是谁把这两件东西摆在这儿?"

他摇了摇头,就动手挖了起来。挖出来的箱子并不怎么大,外面包着的铁皮,由于经过长时间的埋藏已经腐朽了,想当初一定是很坚固的。两个人高兴得不知道说什么好,他们看了又看摸了又摸。

"伙计,这里面总有几千个金币吧!"

印第安人卓伊说。

"听说莫利尔那一帮人,有一年夏天到这一带来过。"

"是的，我也听说过。这一定是那一帮人埋的。"

"怎么样？我看咱们有了这些钱，就不必再干那危险的事了吧？"

对方这样说着。混血种的卓伊皱着眉头说：

"你并不知道我的本意，我干那种事并不是为了打劫，为的是要报仇呀！"

他所说的报仇，到底是报什么仇呢？只见他的眼睛里有一股狂暴的怒火在燃烧着。接着他又说：

"所以我非要你帮忙不可。干完了，我就往德克萨斯州一溜；你就回到你老婆孩子的身边去，等着我的消息。"

"好吧！就依你。可是，这挖出来的东西，怎么办呢？再埋起来吗？"

"对呀！只好再埋起来。"

楼上的两个孩子听了好高兴。可是卓伊接着又说：

"不，不行，不能埋在这儿了。"

汤姆和夏克大失所望。

"我忘了这铁锹上还沾着有新土呢。"

两个孩子听了，吓慌了。

"你想是什么人把铁锹和十字镐拿到这里来的，上面还沾着新土，拿着这两件东西的人现在到哪里去了呢？一旦回来，马上就会被他们看出地上已经挖过了。不行，绝对不行，我看还是把它拿到我那老地方去吧！"

"呃，我倒没有想到，你说的是不是一号？"

"不是的，二号！十字架下面，一号不够安全。"

"好吧！一切都由你吧。天快黑了，我们也该走了。"

印第安人卓伊站起身来，从这一个窗子走向另一个窗子，由窗口向外看，蓦地他停下来说：

"奇怪，到底是谁把铁锹和十字镐拿到这里来的？人会不会还在楼上？"

听到这句话，两个孩子吓得连气都不敢出。

这时，印第安人卓伊把手摁在那刀柄上，犹豫了一会儿，转身向楼梯走来。两个孩子想躲进壁橱里，可是，已经吓得浑身无力了。

脚步踩得楼梯嘎吱嘎吱响，两个孩子吓得全身发抖，他们正想往壁橱那边跑，突然哗啦一声腐朽的楼梯折断了，印第安人卓伊摔在地上。

"哎唷，他妈的，痛死我了。"

他边骂边爬了起来，他的伙伴看了笑得前仆后仰：

"你别这样疑神疑鬼的啦！谁会在二楼？如果有人在二楼，就让他一直待下去吧！反正楼梯也塌了，他不怕跌断腿吗？依我看，拿这铁锹和十字镐的人看到

我们，恐怕还以为是魔鬼或幽灵出现了，说不定现在
还在气喘吁吁地跑着呢！"

"嗯，说的也对。自从墓地那件事被揭发以来，我
总是心神不定的。"

"喂，天就要黑了，趁着现在还有一点儿亮光，收
拾收拾赶快走吧！"

过了一会儿，整个屋子静了下来。

● "二号"的谜

汤姆和夏克吓得四肢无力，好不容易才爬起来，
两人从二楼上的地板缝里，目送两个坏蛋的背影消失
在黑夜里。

"哎呀，好险啊！"汤姆说。

"谁说不是哪，要不是那楼梯塌下去，我们两个人
恐怕早就没命了。"

"喂，夏克，不能再拖延时间了，怎么办？"

"那有什么关系，跳下去呀！"

"我可不敢，万一跌断了腿那就想逃也逃不了
了。"

"那可怎么办？汤姆。"

"当然要想办法啦。夏克，我们绝不能就这样了
事，一定要跟踪着卓伊所化装的老西班牙人，然后再

找出他所说的'二号'那个地方，看他们到底把钱都埋在哪里，反正卓伊他总要回到镇上找人报仇去的。"

"可是，他所说的报仇对象，到底是谁，难道是指我们吗？"

"不会是我们。"

"你怎么知道？"

"如果是指我们的话，至少会说一两句那小家伙或那小鬼。"

汤姆这样说，不过是聊以自慰罢了。因为开庭那天出面作证的是他，万一卓伊想报仇也和夏克无关，想到这里又不禁心烦意乱了。

到底还是夏克比较有主意，向四周看了一眼，说道：

"汤姆，不用怕，我们可以攀着楼梯那边的墙壁半爬半跳地下去。"

说着，真的就连爬带跳地跳到地上了，汤姆也学着他的样子做。幸亏那屋子里的地上长满了野草，他们不但没有跌断腿，身上也没有受任何伤。然后越过山岗，飞也似的跑回家。

一路上两人都不大说话，一心埋怨自己的运气太坏。后来汤姆气愤地说：

"真该死，为什么把铁锹和十字镐摆在那里。"

"是呀！不过，谁也没想到，他们会来呀。"

"要不是为了那两件东西,印第安人卓伊绝对不会起疑心,而把那些金币和银币都带走了。"

"当然喽!我好恨那铁锹和十字镐。恐怕一生再也不会有这样好的运气了。"

当天夜里,汤姆在睡梦中几次梦见已经把那些钱币拿到手,可是等他高兴得醒来时,却都是空空的。

第二天一大清早汤姆就醒过来了,躺在床上静静地回忆着昨天所遭遇的种种险境。可是想来想去,好像没有那回事似的。

因为,过去他连五十块银币都没有见过,但是,在昨天他却看见了整包整箱的银币和金币,难怪他不敢相信那是真实的事!

可是在他反复寻思以后,昨天那一幕一幕的情景又清晰地浮现在脑际。

"不,不是,绝对不是梦!应该去问问夏克。"

他立刻从床上爬起来,草草地吃了点儿早餐就跑出去找夏克了。

夏克坐在河边的舢板上,把两只脚浸在水里,显得闷闷不乐。

"喂,夏克!"

"嗯,汤姆!"

两人沉默了一会儿。

"汤姆,昨天要不是把那两件倒楣的东西放在那里的话，那些钱早就到了我们的手上，唉，多可惜!"

"嘎，夏克，真有那么一回事吗？不是做梦吧?"

"你说什么？做梦?"

"是的，刚才我还怀疑那是一场梦哩。"

"怎么会是梦!要不是那楼梯塌了下去，你想做梦也做不成哩!

"我这一整夜梦也做够了，个个梦里都看见那印第安人卓伊扮成的老西班牙人在追赶我，简直把我吓坏了。"

"现在我们就去找他,然后跟踪他,好把那些钱弄回来。"

"算了吧! 我一看见他，浑身都发抖。"

"我也是发抖,可是我们总应该设法找到他,远远地跟着他到那'二号'的地方去呀。"

"二号？嗯，是的，我也在想那个，但那究竟是怎么一回事呢?"

"也许是某个地方的地名?"

"不，汤姆，不会的。这小镇上根本没有以号数为地名的。"

"你说的也对。嗯，不过，是不是某一个旅馆房间的号码呢?"

"唔，对了! 这里只有两家旅馆，这是不难找的。"

"夏克，你在这儿等着，我去跑一趟!"

汤姆对于小镇上的一切都很熟悉，去了半个钟头就回来了，据他的报告是这样的：

他首先到那间较好的旅馆，知道二号房间很久以来就住着一位年轻的律师。他又到另外一间较简陋的旅馆去，那儿的二号房间很神秘。那个旅馆老板的小儿子告诉他说，那二号房子闹鬼经常锁着，除了夜里从来没有看到有人出入过，可是昨天晚上他却发现那里面有灯光呢。

"夏克，这样我就猜着了，那神秘的二号房间，就是我们所要找的目标啊！"

"嗯，我猜也是的，一定没错，那你打算怎么办？"

"让我想想看。"

汤姆歪着头想了半天，才说：

"夏克，那二号房间的后门是一条窄巷子，你替我找一些钥匙来，我也把姨妈的钥匙全都偷来，然后找一个没有月亮的黑夜来动手。要记住由你负责看住印第安人卓伊，因为他说过还要到镇上来找个机会报仇。你要是看见了他就跟踪他，他如果不走进那二号房间，就是我们找错了地方了。"

"什么？叫我一个人去跟踪他，我可不干！"

"晚上，他也看不见你，就是看见了也不会怀疑你呀。"

"如果天气不好，我倒可以……不，不，我还是不去的好。"

"你那么怕的话，就由我来盯住他好了。你想，我们如果不赶快进行，万一他没有机会报仇就会拿那笔钱远走高飞的，那岂不糟糕。"

"汤姆，你的话有道理，我答应去盯住他就是了。"

"嗯，这才像话，我们要拿出勇气来，说干就干！"

● 旅馆里的秘密

当天晚上，汤姆和夏克一个守着旅馆的后门，一个在不远的地方注视那条小巷子。

直到九点半过后，还没有一个人进出这条小巷子，更没看见那个老西班牙人从旅馆后门走出或走进。

那一夜，月色非常明亮，天气很好，汤姆打算先回家去，临走时他和夏克约好，如果月色转暗就用猫叫的信号来叫他。

可是，当晚一直是皓月当空，不适宜动手的。到了十二点左右，夏克也就不再看守着，回到一个大空桶里睡觉去了。

星期二夜晚，月色还是照耀得如同白昼，星期三同样的是一个晴朗的夜晚。

直到星期四晚上，月儿才躲进云层里，四下黑暗伸手不见五指。

汤姆赶紧拿了他姨妈的那只旧锡灯和一条大毛巾，溜了出来。

他先把锡灯藏在夏克睡觉的地方——一个大空桶里，然后和夏克开始守候着。

十一点时，旅馆熄灯了，门也关了。

他们不但没有看见老西班牙人的影子，也没有看见任何人进出小巷，四处一片漆黑，偶尔从远方传来隆隆的雷声打破了沉寂的夜空。

汤姆拿起他的锡灯，在夏克睡觉的那个空桶里点好，然后用毛巾紧紧裹住，两个冒险家在黑暗中悄悄地向旅馆走去。

照着以前的计划，夏克在外面把风，汤姆摸索着走进小巷。

夏克非常担心地等着汤姆归来，可是等了又等，汤姆还是没有回来。

他是不是被打昏了？也许是被杀了？还是由于过度的恐怖或兴奋，使他的心脏爆炸了呢？

由于心情不安，夏克渐渐害怕起来，他呼吸变得急促，心脏也加紧跳动着。

这时候，突然看到一道微弱的灯光，随后汤姆飞也似的跑来，叫道：

"快跑啊！逃命要紧！"

那声音显示着事情的不寻常，夏克马上以最快的速度跟着跑。

两个孩子跑到镇外一所已经没有人使用的屠宰场，才停了下来。

就在他们跑进木棚时，倾盆大雨随着落了下来。

过了一会儿，汤姆才镇静下来说：

"夏克，可怕极了。我很小心地试了两把钥匙，可是我的手抖得使钥匙一直作响，我吓得简直透不过气来。而且，钥匙插进去转不动，我无意中抓住门把手推一下，门居然打开了，原来门根本没有上锁。

"我连忙钻进去，然后把毛巾解开用灯光一照……好家伙，把我的魂都吓掉了。"

"为什么？汤姆。"

"夏克，我差一点儿就踩到那印第安人卓伊的手上。"

"真的？"

"我还会骗你，他两手张开躺在地板上，睡得很死，眼睛上还戴着那副太阳眼镜呢。"

"唔，那可吓死人了，你怎么办呢？他被你吵醒了吧？"

"没有，大概是他喝醉了。我抓起毛巾就拼命地跑出来了。"

"要是我，绝对想不起拿回那条毛巾。"

"我要是忘了，被姨妈发觉那该怎么办呢？"

"喂，汤姆，你看见那装金币的箱子了吗？"

"我来不及东张西望，所以既没有看见箱子，也没有看见十字架；只看见他身边有一个酒瓶子和一个锡制的酒杯。啊——对了，我还看见那屋子里有两大桶酒和许多酒瓶子。"

"夏克，现在你该明白了吧！你说那闹鬼的屋子，是怎么一回事？"

"是怎么一回事呢？"

"呵，那闹的是酒鬼呀！也许所有禁酒的旅馆里都有一间闹鬼的房间，为的是瞒着警察让人偷偷喝酒吧。夏克，你说对不对？"

"我想是的。可是汤姆，那印第安人卓伊既然喝醉了，我们不是正可趁机会把那只箱子拿来吗？"

"那么，你就去试试看吧！"

"我可不敢去。"

夏克吓得连连摇头。

"嗯，我也不敢。因为在他身边只摆着一个酒瓶子，一定是醉得不怎么厉害，要是有三个酒瓶子的话，我才敢去试试。"

两个孩子沉默了好久，然后汤姆说：

"喂，夏克，我们非等到确实知道卓伊已经出去了，千万不要打那个主意。只要我们每天早晚都看守着他，迟早会有一天看见他出去的，那时候我们就可以进去把箱子抬走。"

"好吧！以后每天晚上都由我来看守，其余的时间归你。"

"假如他从房里走出来，你就赶快跑到我家来学猫叫。万一我睡着了你就往窗户丢一粒小石子，我准会跑出来。"

"好的，就那么办。"

"现在雨已经停了，我要回家了。我想，差不多再过两三个钟头，天就会亮了，你就回到原来的那个地方再看守到天亮好吗？"

"好嘛，不用你说，我也会去的。以后，我就白天睡觉，晚上好有精神看守着。"

第 四 章

● 野 餐

星期五早晨，汤姆意外地接到蓓琪邀他参加野餐的一张请帖。

利用暑假去旅行的萨其尔大法官一家，前天晚上回到镇上来了。蓓琪央求妈妈答应她早就约定好的野餐会在明天举行，妈妈答应了。于是请帖马上就分送出去。

接到请帖的孩子，都以极兴奋的心情期待着明天的来临，各人忙着准备应用的东西。当天晚上汤姆也兴奋得睡不着。

汤姆静等着夏克的猫叫声，他巴不得在第二天就能把财宝弄过来，好让蓓琪和参加野餐的同伴们都惊奇一下。可惜当天晚上等来等去什么信号也没有。

第二天早晨十点多钟，一群孩子欢天喜地的在萨其尔大法官家里集合，一切都准备妥当，随时可以出发。

这个远足假如让大人参加，会使孩子们不能尽情地游玩而扫兴的，所以跟着他们去的都是这些孩子的哥哥或姐姐。汤姆的弟弟席德刚巧生病不能去，玛莉为了看护席德也只好留在家里。

为了这天的远足，还特别租来一艘旧汽艇。

兴高采烈的孩子们，各自提着装满食物的篮子往大街上走去。

临出发的时候，萨其尔太太嘱咐蓓琪说：

"孩子，你们这一次远足没有大人跟着，千万不可以到危险的地方去，如果妈妈跟着去当然就放心多了。"

"妈妈不去才好呢！要是跟来准是唠叨不停，不准这样，不许那样。我们难得出去玩一次，要那样的话就太没趣了。"

"哟，可是像汤姆那样顽皮的孩子，如果要带你到远处去，你可千万不要跟他去呀！"

"妈妈，我知道，不要再说了。"

"看样子今晚好像不能回来，你们就在码头附近的同学家借住一夜好了。"

"妈妈，那么我们就住在苏珊·哈勃家里好了。"

"那很好。不过，你可要乖些，不要给人家添麻烦。"

"好的，妈妈，我走了。"

可是刚一出发，汤姆就追上蓓琪，说：

"我们今晚不要到苏珊·哈勃家里去住，索性爬上山去住在道格拉斯家里吧！道格拉斯太太会拿冰淇淋给我们吃的。"

"如果被妈妈知道了，怎么办？"

"她哪里会知道。"

蓓琪起初虽然不大愿意，但最后也勉强答应下来。

不久，孩子们都坐上小汽艇，小汽艇开到离市镇五公里下游、树木丛生的谷口停了下来。

孩子们一窝蜂似的上了岸。一会儿，就从树木的深处和高耸的悬崖上传来他们的嬉笑声。

他们尽兴地玩着，直到肚子饿了才回到露营的地方来，饱餐一顿后就在枝叶扶疏的橡树荫下休息。闲谈的时候有人提议道：

"我们到那魔克脱尔洞里去玩，好吗？"

"好的，那太好了。"

大家异口同声地表示赞成，马上就蹦蹦跳跳地往山上爬。

洞口在山腰上面，进口的地方成 A 字形，坚固的大门并没有关上。

里面很暗，像冰窖一般的阴凉，四周是天然的石灰岩墙壁，那上面像冒冷汗似的淌着水珠儿。

孩子们起初被这神秘而阴森的气氛吓得鸦雀无声，不久，习惯了又吵闹起来。

他们准备了几根蜡烛，但是为了都想把蜡烛拿在

自己的手上　，还不等蜡烛点好就你争我夺起来，结果，蜡烛不是被打落在地上就是熄灭了。于是发出一阵哄笑声，岩洞里也发出阵阵的回响。

后来他们排成一纵队，随着火光往里面走去。那岩洞有十八公尺高、两三公尺宽，每走四五公尺就有一条岔道。

这魔克脱尔岩洞，原来是由许多弯曲的通路所组成的一个大迷宫。那些通路互相交叉着又各自分开，不知究竟通到哪里去，据说过去前来游洞的人在里面东跑西走，一连走了几个昼夜始终找不到它的尽头。

孩子们对它有了戒心，也就不敢单独行动。这岩洞，连那好冒险的汤姆·索亚过去也未曾深入过。

这些孩子在岩洞内走了约有一公里，一路上三三两两分开来走进小路，越过奇形怪状的岩石，等待同伴经过时跑出来吓他们一跳。小路很多，没有蜡烛照着时漆黑一片，正是捉迷藏的好地方。

不久，一群又一群的孩子们，吵吵嚷嚷地回到洞口来了。

彼此一看，有的被水弄湿了，有的身上滴有蜡油，有的沾上了黏土，但是没有一个不兴高采烈的。

时间不停地过去，不知不觉已是傍晚时分，船上集合的铃声早已在半小时前响过了。

于是孩子们都怀着愉快的心情，乘上小汽艇向归途驶去。

● 夏克的跟踪

那天晚上是个阴沉的黑夜，夏克仍然前去看守。

到了十点钟的时候街上开始寂静下来，各处的灯光也熄灭了，整个小镇的人们都进入了睡乡。

过了十一点，旅馆的灯也熄了，眼前是一片漆黑。夏克等了很久，还没有什么动静，心里好不耐烦，很想回去睡觉。

就在这个时候，蓦地听到一声响。

夏克倾耳谛听，似乎旅馆的后门轻轻地打开了。他连忙躲在小巷子转角的地方，眼看着有两个人经过他的身边，其中的一个手里还拿着东西。

一定是装着金币的箱子！

原来他们是想把财宝搬走啊！要不要去告诉汤姆呢？不行，等他把汤姆叫来，他们恐怕早就走得无影无踪了。还是继续跟踪着，看他们是到哪里去！好在四周黑暗得很，他们不会察觉到的。

夏克心里一面盘算着，一面跟在两个人的后面，他光着脚，像一只猫似的和他们保持相当的距离，悄悄尾随着。

他们沿着河边，走了五六百公尺的路程，然后向左拐，再往前走，一直走到卡狄夫山脚下就开始向上爬，经过住在半山腰的威尔士老人家的门前，又再往上走。

看样子，他们一定是打算把那箱子埋在矿场里面吧？

夏克这样想着，但是，当他们到达矿场时仍然没有停住脚步，一直爬到山顶，走进那灌木丛中的小路，然后就看不见人影了。

夏克恐怕找不到他们，就鼓起勇气紧跟上去，但是因为听不到他们的脚步声，也只好停下来。

四下里一片沉寂，除了他自己的心脏跳动声，什么都听不见。

这时候，从山后传来一阵猫头鹰的凄厉叫声。这是个坏兆头，难道他们已跑掉了不成？

夏克正想拔脚下山时，忽然听到一声咳嗽，大约发自两公尺前的地方，顿时吓得浑身发抖手脚酸软，简直就要瘫在地上了。但他马上镇静下来，向四周扫视了一番。据他推测，自己是站在离道格拉斯寡妇家的石阶前约五六步的地方。

也好，那个宝箱如果就埋在这一带，是不难找到的。

夏克这样想着时，忽然听到印第安人卓伊小声说：

"这样晚了还不熄灯，说不定还有客人在那里。"

"我怎么看不见灯光。"是他那伙伴的声音。

夏克又吓了一跳，他们报仇的对象怎么会是道格拉斯寡妇呢！想起过去她对自己的种种好处，真想赶快给她报个信。可是自己稍一行动，就有被这两个坏蛋抓住的可能，怎么办呢？

只听见卓伊又说道："那边有树挡着，你到这边来！"

"嗯，你说的不错，准是有客人，我看算了吧！"

"那可不行，因为我就要离开这里不再回来了，这次如果不下手，就没有机会了。我告诉你了，我根本不在乎她的钱，有钱都归你。你不知道她的丈夫有多么可恶呢，当了治安法官硬说我是无业游民，不但把我关进监牢，还当着镇上人的面前叫人用鞭子抽打我，让我没脸做人。他已经死了，便宜了他，我可要在他的老婆身上算帐。"

"不过那是她丈夫的事，你何必一定要杀她呢？"

"如果她丈夫还在，我当然要一刀刺死他。可是对他的女人，我只要削去她的鼻子、割掉她的耳朵就行了。"

"那未免太残酷了。"

"怎么了？你敢不赞成吗？我连你都要宰掉！我们印第安人，有仇一定要报的。"

"好吧！就听你的。你又何必动气？现在就下手好了。"

"有客人在，那怎么行？总要等熄灯以后。"

● 向威尔士老人求救

随后有一阵沉默，那种气氛比说谋杀的话更令人感到恐怖。

夏克屏住气息，小心翼翼地向后退了一步，等他把身子站稳，才举起另一只脚再向后退；这样慢慢地一步一步往后退时，突然一根枯树枝，嘎吱一声被他踩断了，吓得他出了一身冷汗，幸亏他们没有听见。于是，夏克转过身来加快了脚步。

当他好不容易来到矿坑那里时才放下心来，就拼命往前跑，一直跑到威尔士老人的家门口。

他乒乒乓乓地敲他的门，威尔士老人钟斯和他那两个健壮的儿子，从窗口探出头来问：

"谁呀？这么晚了，还来敲门！"

"让我进去，我有话要说，我是夏克伯利·芬。"

"是夏克呀！今天没有剩下的东西好给你吃。"

"不，我不是为了那个，有一件极为重要的事要告诉你。"

"是吗？孩子们，把门开开让他进来。"

夏克踉踉跄跄地走进屋里，差一点儿就跌倒在地板上，气喘吁吁地说：

"给我点儿水喝，水……"

他喝了一口水才松了一口气，说道：

"我有话告诉你，你可不能说出去。"

夏克一再请求以后，才接着说：

"万一被那人知道了，他会要我的命的，一定会的。可是道格拉斯伯母一向待我很好，我不能不替她求救。"

"道格拉斯太太怎么了？"

"你保证不告诉别人是我说的，我才敢说。"

"你放心吧！我和我的孩子都不会说出去的。"

于是，夏克很快地把他刚才所看到的情形讲给他们听。

三分钟后，那位老头儿和他的两个儿子，都带着枪爬上山去了。夏克跟着他们走到灌木丛的小路边时，就不敢再上去了，躲在大石块后听候着动静。

经过了一段漫长的寂静之后，突然爆发了一阵枪声和叫喊声。夏克没有查明结果，转过身来拼命往山下逃去。

第二天是星期日，天将拂晓时分，夏克又来到山上轻轻敲那威尔士老人家的门，屋里的人还在睡觉，但是为了昨夜的事大家都很机警，威尔士老人马上爬

起来，从窗口探出头来问道：

"谁呀？"

"是我，夏克伯利·芬。"

"唔，孩子，你来得正好，快进来吧！"

到处流浪的夏克，很难得听到这样亲切的话语，使他大为感动。

门打开了，夏克走了进去。老人和他的孩子也都赶快穿衣服，他们很殷勤地招待他坐下。

"可怜的孩子，你一定饿了，我马上叫他们准备早点，我们可以吃一顿热早餐。来到我这里就不必客气，昨晚我本来是想让你来这里过夜的。"

"昨晚上，我一听到枪声就吓跑了。"

"小孩子嘛！这也难怪。你的脸色到现在还不太好，等一下吃过早餐就在这里睡一觉吧！"

"我很想知道那以后的情形，所以一大早就赶来，请你们告诉我他们有没有中弹死掉？我是不敢看他们的死相的。"

"孩子，真遗憾，我们按照你所说的找到了那两个坏蛋躲藏的地方，就悄悄地走到离他们只有六七公尺的地方藏起来。那灌木丛小路漆黑一片，伸手不见五指。也许是深山里有寒气，我忽然忍不住地打了一个喷嚏。打喷嚏的声音惊动了他们，他们立刻就钻了出来想从小路溜走。我连忙大声喊开枪，孩子和我都对着那沙沙作响的地方放了好几枪。"

"结果射中了没有?"

"咳,太可惜了,竟让他们跑掉了。我们跟在他们的后面又开了几枪,也都没有射中。"

老人咬紧了牙根,不胜气愤的样子。

"他们逃跑时也各开了一枪,但我们也都没有受伤。直到我们听不到脚步声就停止追踪,下山去把警官叫醒,他们集合了一队人,开到河边去巡逻,只等天一亮警长还要到树林里去搜索,我的两个儿子也要跟去。不过,如果能知道那两个家伙是什么样子,就更好些。我想你在黑夜里,也不曾看到他们的脸孔吧!"

"不,我在镇上看见过他们,也跟踪过他们。他们一个是又聋又哑的西班牙老人,一个是长得怪难看、穿得破破烂烂的……"

"啊——那两个人呀,我也见过他们,以前在道格拉斯家附近的森林里就遇见过他们,怪不得看见我就连忙溜走了,原来肚子里怀着鬼胎。喂,孩子们,赶快去把这种情形告诉警长!"

两个儿子听到父亲的吩咐,马上就要走。夏克追上去说:

"千万不要跟别人说这是我告诉你们的。"

◉ 不知名的英雄

那两个年轻人走了之后，老人以奇怪的神色问夏克：

"你为什么那么怕别人知道是你说的？"

"如果被那两个坏蛋知道了，他们会杀死我的。"

"哈哈——你放心吧！他们怎么会杀你？可是，你一开头为什么就想跟踪他们，是不是早就怀疑他们不是好人。"

夏克想了一会儿，才答道：

"我昨夜到处游荡天很晚了还没有睡，当我走到那禁酒旅社后门的老砖厂那儿，看见那两个坏蛋拿着一包东西，鬼鬼祟祟地走了过来。其中的一个划了一根火柴在点烟，我就看见一个是留着长胡子、戴着太阳眼镜的老西班牙人，另一个是穿得破破烂烂、长得怪难看的家伙。"

"一根火柴的光，你就能看得那样清楚吗？"

被他这样一问，夏克愣了，他无法自圆其说，只好含含糊糊地答道：

"我看出……好像是他们……"

"以后你就跟着他们走，是吗？"

"是的，一直跟到道格拉斯寡妇的台阶前，我听到那个长得很难看的人还替道格拉斯太太求情说，不要杀害她。可是那又聋又哑的西班牙老人不肯答应，非要削去她的鼻尖，割掉她的耳朵不可。我昨天晚上，不是跟您说过了吗？"

"什么？又聋又哑的人怎么能讲话？"

夏克本来不想让老人知道那西班牙老人就是印第安人卓伊乔装的，可是又说溜了嘴。接着老人紧盯住他的脸庞说：

"夏克你不必瞒着我，向我说实话好了，到底是怎么一回事？我一定不会说出去而连累你的。"

夏克看出老人一脸诚实的样子，就在他的耳边悄声说道：

"那西班牙老人是印第安人卓伊乔装的。"

威尔士老人听了几乎从椅子上跳了起来。

"这样一来我什么都明白了，当我听到你说削掉鼻子、割下耳朵，只以为你是加油添醋，因为白种人绝不会那样残酷的，要是混血土人就难说了。"

一会儿老人的孩子们也回来了，大家在一起进早餐，谈话中间两个儿子说，昨夜临睡前还打着灯笼，到现场附近查看有没有血迹，大概那两个坏蛋并没有受伤，可是却在那儿捡到一个包袱。

"嘎，里面有什么？"

夏克急忙从椅子上站了起来，脸色都变了。

"都是一些夜贼用的工具。咦，你怎么了？"

夏克松了一口气，重新又坐了下来。

因为，他恐怕那包袱里包的是金币，如果到了别人的手里，那他所冒的险和花费的心血，岂不都前功尽弃了！

既然那里面包着一些做贼用的家伙，那些金币一定还放在二号房间里，也许在不久的将来那两个坏蛋就会被抓进监牢，我和汤姆不就可以不劳而获了吗？

他呆呆地想着。

"喂，你怎么了？刚才为什么吓成那个样子？"

被他这样一问，夏克当时显得很窘不得已敷衍说：

"我还以为那包袱里有主日学校的课本呢？"

老人听了，不禁哈哈大笑起来。但是夏克却因为刚才太紧张了，无法马上装出笑容。

"真是好笑。不过，有笑就有福，大家总应该嘻嘻哈哈地过日子。

"怎么了，夏克，你的脸色好苍白呀，不大舒服吗？可怜的小家伙也许是被昨天晚上的事吓坏了，竟说些离谱的话，等一会儿好好睡上一觉，就会恢复过来的。"

刚吃过早餐，外面有敲门声。

夏克连忙躲了起来，他不愿再牵连到这桩事情里。这时，道格拉斯的遗孀和一些镇民走了进来。从窗口望过去，好奇的镇民络绎不绝地往山上的现场走去，原来昨晚的事已经传播开了。

威尔士老人不得不把昨晚上的事，向来客叙述一遍，当道格拉斯太太知道有坏人要向她寻仇时，感到很惊讶。

"我和他们无冤无仇，为什么要害我？多亏你们父子三个人救了我，还算是不幸中的大幸，真不知道要怎样感谢你们才好。"

"不，不，道格拉斯太太，你这样讲我们太不好意思了，若不是有另外一个人来告诉我们，我们也不会去救你的。"

"嘎，那另外的一位是谁？"

"抱歉的是我不能说出他的名字，因为他曾再三嘱咐我不让我说出来。"

"可是，我总应该知道我的救命恩人哪，请你告诉我吧！那个做好事不愿人知道的英雄到底是谁？"

"不行，我不能那样做，也许以后你会知道的。"

道格拉斯太太只好不再问下去。

"昨天晚上，我躺在床上看书，看累了就那样一直睡到天亮，早上起来才知道昨夜发生了这样可怕的事。可是，当时你为什么不马上来叫醒我？"

"因为看样子那两个坏蛋不会再回来的，所以没有惊醒你。可是，我为了以防万一，还叫我们家的三个黑奴在你家的周围一直守到天亮。他们刚刚才回来。"

来访的客人走了一批又来一批，威尔士老人足足把这些话重复了好几遍，于是这个不知名的英雄搭救了道格拉斯太太的事，就在小镇上添枝加叶地传开了。

◉ 汤姆和蓓琪失踪了

那天刚好是星期日，镇上的人为了打听那桩事件的发展情形，很早就聚集到教堂来，可是到现在还没有发现那两个歹徒的踪影。

牧师布道完了，大家纷纷走出教堂时，萨其尔大法官的太太走近哈勃太太身边说道：

"我家的蓓琪，昨天远足一定玩得很累，今天大概很晚才起床吧？"

"你是说你家的蓓琪小姐吗？"

萨其尔太太眼睛紧盯着哈勃太太说：

"是啊，蓓琪昨天晚上不是住在你家吗？"

"没有啊，她根本就没有来！"

萨其尔太太一听到这话，脸色立刻大变。

刚巧在这时，莎丽姨妈和一位太太谈着由这里经过，她看见萨其尔太太和哈勃太太，就上前打招呼：

"两位太太早啊！昨天孩子们的远足会一定很好玩的，我家的淘气鬼都忘记回家啦。我猜想准是在你们家里过夜的，不知是在你们哪一位的家里？现在也不来做礼拜，我正要找他去呢。"

萨其尔太太听了摇摇头，脸色更显得苍白了。哈勃太太很不安地说：

"汤姆并没有在我家过夜呀！"

莎丽姨妈一听露出惊愕的表情，向站在一旁的乔奇·哈勃问道：

"乔奇，你今天早上看见汤姆没有？"

"没有，伯母。"

"那么，你昨天不是和汤姆在一起的吗？"

"不，我没和他在一起，他是和蓓琪在一起的。"

"回家的时候呢？"

"回家的时候，我就不大清楚了。不过，我记得进岩洞的时候，他俩好像是在一起的。"

往教堂外面走去的人都停了下来，他们交头接耳，每个人的脸上都浮现出不安的神情。

问遍了跟他们同去的哥哥姐姐们，没有一个人曾发觉昨天回来时，汤姆和蓓琪没有坐上小汽艇。于是大家纷纷责备，汽艇返航时没有点清人数是一大疏忽。

最后，有一个年轻人冒冒失失地说：

"两个孩子恐怕还留在岩洞里呢！"

萨其尔太太一听，马上昏了过去。莎丽姨妈也大哭起来。

于是，卡狄夫山的事件变成了次要的问题，两个强盗也没人提起了。

镇上响起警钟，马上展开了找寻两个孩子的工作。

不久，两百个搜索队员，有的骑马，有的坐船，分别由大路和河道向岩洞蜂拥而去。

● 夏 克 病 了

夏克躺在待人亲切的老威尔士家的床上，昏迷不醒发着高烧。

镇上的医生们都到岩洞那边去了，只有道格拉斯太太在夏克的床边，热心地看护他。

第二天早上，威尔士老人身上滴着蜡烛油又沾满了黏土，筋疲力竭地回来了。

老人一踏进门马上来到寝室，向道格拉斯太太问起夏克的病情。

"还好，刚刚才退烧，现在睡得正香呢！怎样？两个孩子找到了吗？"

"嘘!"

老人看了夏克一眼,把手指头放在嘴唇上制止她的问话。

道格拉斯太太看到老人的眼色马上懂了,便和老人走到隔壁的房间里去。

"关于汤姆和蓓琪失踪的事,你千万不要告诉夏克那孩子。"

"是的,我知道。因为我太关心这件事,才急着问……夏克既然在生病,这些琐碎的事当然不必告诉他,免得增加他的烦恼。"

"太太,不只那样,我还听人家说夏克和汤姆是最要好的朋友呢。"

"那更应该瞒着他了。可是,你们去寻找的结果怎么样了?"

"唉,这很难讲……我们找遍了所有的洞窟,把声音都喊哑了也没有反应。"

"那两个孩子,真的是在洞窟里面吗?会不会到别的地方……"

"不会的,因为我们到达了游客所常到的地方,发现岩壁上用蜡烛的油烟,熏有'汤姆和蓓琪'的名字,同时,还捡到了一条脏的缎带。"

"那样的话,不是……"

这时,道格拉斯太太已经呜呜咽咽地说不出话来。威尔士老人接着又说道：

"萨其尔大法官也在我们那搜索队伍里，当他捡起那条缎带时，马上就认出那确实是她女儿的东西。他那时的难过，唉，简直……"

如此又挨过了两天，大家并没有放弃搜索的工作，但是两个孩子还是杳无音讯。

就在这时，那间禁酒旅馆里被发现藏有许多私酒，这在平时当然是件惊人的消息，但是现在并没有引起人们的注意。

过了两天，夏克的烧退了，神智也清醒了，他一点儿也不知道汤姆在岩洞里失踪的事。使他梦寐难忘的只是那耀眼的金币，所以他恨不得病赶快好，好和汤姆一起去寻找那些财宝。

但是在他生病的期间，那两个坏蛋会不会把那装满金币的箱子带走呢？想到这里，他的内心便不安起来。

有一次，他有气无力地把话题转到那间旅馆上去了！

"请您告诉我，在我生病期间那间禁酒旅馆可曾发生过什么事吗？"

"咦，你怎么会知道的？倒是曾发生一件事。"

夏克一听到这话，眼睛睁得大大的，马上坐了起来。

"嘎，发生什么事了？"

"酒啊！现在那间旅馆，已经被禁止营业了。不过，你一个小孩子管那些事做什么？快躺下吧！"

"我再问您，在那间旅馆里找到私酒的是不是汤姆？"

道格拉斯太太听到汤姆的名字，眼泪竟扑簌簌地流了下来。

"你不要担心汤姆的事了！你的病要紧，应该好好地静养，不要想得太多。"

夏克从她的话语里推测，除了酒以外大概没有找到别的，如果找到了金币大家一定会大谈特谈的，难道那个箱子不在二号房间了吗？

夏克失望极了，他的神色很沮丧，便躺在床上。可是，道格拉斯太太为什么忽然掉下眼泪来呢？真是奇怪。他左思右想，想累了又迷迷糊糊地进入了梦乡。

道格拉斯太太看到夏克睡着了，叹了一口气自言自语地说：

"可怜的小家伙，睡着了嘴里还忘不了汤姆·索亚。你可知道，汤姆·索亚迷失在岩洞里，说不定永远回不来了。"

● 迷失在岩洞里

　　现在再回头说远足那天，汤姆和蓓琪最先也和大家一样走进岩洞，玩捉迷藏。后来，汤姆发现石壁当中有一道陡峭的天然石阶，便爬了上去，蓓琪因为被汤姆那想做探险家的野心所感染，也跟着爬上去。

　　他们越走越深入，后来他们发现了一个宽大的石洞，洞里有各种形状的奇怪石钟和清冽无比的泉水。在石洞顶上有无数的蝙蝠，烛光惊动了它们，便成百成千地尖叫着向汤姆他们扑来。

　　汤姆赶快抓紧蓓琪的手，往另一个通道走去。

　　"嘿，汤姆，怎么听不到大家的声音了？"

　　经蓓琪这么一提醒，汤姆马上不安起来。

　　"是的，蓓琪，我还以为离开大家不怎么远，怎么就会听不到大家的声音了呢？"

　　"汤姆，我们不要再往前走了，回去吧！"

　　"对，我们也该回去了。"

　　"你找得到回去的路吗？"

　　"我知道，就是那一条。可是那些蝙蝠真讨厌，蜡烛如果被它们扑灭那就麻烦了，我看还是另找一条路走。"

　　"那也好，但是我们可不要迷失了路途呀！"

　　他们循着像回廊一般的通路走去，每逢有一个新的出口，汤姆就探出去看一下，可是每处都是陌生的。

　　当蓓琪很担心地盯着他的脸时，他总是装作愉快的样子安慰她说：

　　"没关系，这个出口不对，马上就可以找到的。"

　　其实，他的内心早已感到不安了。

　　随后，他就加紧往岔路乱闯，但是越急越走入歧路。蓓琪看到汤姆那种没有自信的样子，吓得几乎要哭出来。

　　"汤姆，有蝙蝠也不要紧，我们还是从那条路回去吧！走别的路，简直越找越糊涂。"

　　"你别急，听我的！嘿——"

　　汤姆站住了，大叫了一声。

　　可是，这声音并没有传进其他孩子的耳鼓，只荡漾在岩洞里，像是讥笑他们似的响起一阵又一阵的回音，然后就慢慢地消失在远方了。

　　"汤姆，你不要叫了，听起来好可怕。"

　　"怕是怕，但还是叫的好，也许大家会听到。"

　　接着他又"嘿——"地叫了一声。

　　两个人静静地听着。汤姆的叫声只是又从岩壁返回来，仍得不到一点儿结果。

　　"汤姆，我们还是从原路回去吧！你就那样怕蝙蝠吗？"

"嗯，我看这样吧，蓓琪，由你来拿着这蜡烛，我来对付那些蝙蝠，它们一飞过来我就把它们打下。"

于是两个孩子转身往回走，可是他们连回去的路也找不到了。

"喂，汤姆，我们来的时候，怎么没有做下记号呀！"

"唉，蓓琪，别提了，我根本就没有想到那一层，完了，完了！"

"啊，汤姆，我们迷路了，走不出这岩洞了。怎么办呢？我们本来不应该离开大家乱走的。"

蓓琪竟坐在地上，号啕大哭起来。

"我们出不去了，只好坐在这黑暗的地方等死吧！多可怕呀！"

"蓓琪你不要哭，一定能出去的。"

"这个鬼地方！早知这样，就不来了！"

蓓琪似乎有无限恐惧和懊悔。汤姆一直安慰她、哄她。

蓓琪闹了一阵子，她明白老坐在这里也不是办法，于是就鼓起勇气跟着汤姆往回走。

走了一会儿，汤姆把蓓琪拿着的蜡烛吹灭了。

"咦，汤姆，怎么了？只有你手上的一支蜡烛，不是太暗了吗？"

可是，汤姆一声不响，只管往前走。

"汤姆，你的口袋里不是还有三四支蜡烛吗？"

"蓓琪，我们应该省一点儿用！"

那真是一句意味深长的话。

● 最后的一小截蜡烛

他们在岩洞里走了好久，始终找不到出口，也看不到天日。

最后，他们两个人实在走不动了，尤其是蓓琪，于是就坐下来休息。他们谈起家里的人以及舒适的床铺……蓓琪又哭了。汤姆尽管想尽方法哄她、安慰她，但说多了也就毫无效果。

过了一会儿，蓓琪由于过度疲劳终于昏昏入睡。

汤姆这才松了一口气，他凝视着她那愁眉苦脸的睡容，不久，竟看到她的脸上浮现出微笑，一定是做了美梦。

但是蓓琪睡了没多久，就睁开眼睛说：

"咦？我怎么睡着了。"

"蓓琪，你睡了一会儿，精神好些了吧？来，我们再找出路去吧！"

"可是，汤姆，我梦见到了一个非常美好的地方，会不会是天堂，也许我俩不久就会到那里去。"

"哪有这样的事。来，蓓琪，打起精神来走吧！"

两个孩子牵着手继续向前走，他们心里很急，觉得进了这个岩洞已经有一段很长的时间了，甚至有好几天、好几星期了。可是蜡烛还没有用完，大概并没有经过太久的时间。

他们又走了一段路，汤姆要蓓琪脚步轻轻地走，为的是能听到水流的声音，好找到泉水。

一会儿，他们果然找到了泉水，汤姆和蓓琪都渴得要命，马上用手捧起水来喝。

两个人坐下来默默无言，好像都在想什么心事似的。后来，蓓琪说：

"汤姆，我好饿呀！"

汤姆从口袋里掏出一块饼干，掰一半给蓓琪吃。蓓琪大口咬着，汤姆却一点儿一点儿吃，然后再喝一些清净的泉水。

吃过饼干和喝过清水，有了一点精神，蓓琪提议再继续前进。汤姆停了一会儿，才说道：

"蓓琪，我有话要对你说，你可不要难过。"

"……"

"蓓琪，我们不要离开这里了，因为这里有水，而且蜡烛也只剩下这一小截了。"

蓓琪听了，又放声大哭起来。

汤姆尽力安慰她，可是没有用。后来，她哽咽着向汤姆说：

"汤姆,你想他们什么时候才会来找我们?"

"大家都上了小汽艇,就会发觉我们不在。"

"可是,到那时候天都黑了,他们也许不会注意到。"

"那也说不定,不过,等大家都回到家里,你妈妈看你没有回去,准会着急的……"

"汤姆!"

蓓琪打断了汤姆的话。

看到她那惊慌的表情,汤姆才想起,蓓琪临走时向萨其尔太太说过,当天不回去要在外面过夜。因此,萨其尔太太不见得当天晚上就会发觉蓓琪没有回去。

想到这儿,两个孩子都非常沮丧,眼看着那一小截蜡烛毫不留情地融化着。

最后,只看见那三公分长的灯心独自竖立着,微弱的火焰忽明忽暗,不久,变成一条薄烟向上升起。于是他们就被笼罩在一片漆黑的恐怖中!

● 岩洞里的另一个人

不知过了多久的时间,蓓琪才慢慢地有了知觉,依靠在汤姆的身上哭。

汤姆说,现在大概是星期日,也许是星期一。实际上,这个岩洞里一直都是漆黑的,什么时候天亮,什么时候天黑，根本分辨不出来。

"蓓琪，他们一定已经知道我们没有回去，开始寻找我们了！"

"谁知道？我觉得我在这里好像待了一年了。"

"他们一定正在寻找我们，也许已经到我们的附近了，让我叫叫看。"

于是汤姆扯开喉咙大叫了一声，在黑暗中，声音的回响听来特别可怕。他没有勇气再叫第二声了。

又过了几个钟头，他们的肚子饿极了，汤姆把上一次留下来的那一份饼干拿给蓓琪吃，但是这一点点食物，吃了反而显得比原先还要饿。

稍停，汤姆说：

"你听，好像有什么声音！"

两个人屏息静听，似乎从远远传来极微弱的呼声。汤姆马上牵着蓓琪的手，向那一方向摸索着走去。

走了一会儿，汤姆停下来谛听，果然是有声音，而且，这声音比刚才要近。

"一定是来找我们的，蓓琪，来，跟我来！不要怕。"

两个人真是心花怒放。可是，他们走得很慢，因为四下里漆黑一片，脚底下又凹凸不平，不得不小心。

不久，他们遇到了一个深坑挡住了去路，汤姆为了试试这个坑的深度，便坐在地上把脚放下去。这一下子汤姆可愣住了，因为那深坑碰不到底，也许是一个极深的沼泽。

两个人只好待在那里，等待着寻找的人走来。他们静听远处的声音，显得距离越来越远了。又过了一两分钟，连一点儿声音都没有了。

汤姆声嘶力竭地叫喊，可是毫无用处。

两个孩子又摸索着回到泉水那里，让痛苦的时间慢慢地挨过去，他们又睡着了。醒来时肚子饿得很厉害，简直无法忍受。

这时，汤姆忽然有了个主意，他向蓓琪说：

"这附近不是有许多岔路吗？我们俩与其在这儿干等，还不如出去找找看。"

"那更会迷路了。"

"不，我带着放风筝的线，不要紧的。"

"那你最初离开大家的时候，为什么不用它呢？"

"我一时没有想起来。现在，试试看。"

说着他从口袋里拿出放风筝用的线，把它拴在一块突出的岩石上，随后就带着蓓琪一面摸索前进，一面放开风筝线。大约走了有二十步，就到了那条通路的尽头。

汤姆弯下身腰摸摸四周有没有路可走，就在那时他看到一只拿着蜡烛的手，从岩石后面露了出来。

"啊，感谢神！"

汤姆拉开嗓门儿大声欢呼。但是当那个人的身子出现时可把他吓坏了，原来竟是印第安人卓伊。

汤姆四肢无力，几乎要瘫痪了。幸亏那扮成西班牙人的印第安人卓伊拔脚就跑，才使他放下心来。

"咦，汤姆，不是有人来了吗？"

"没有，我只是希望能有人来。"

当然，汤姆不敢把实在的情形告诉蓓琪，她如果再受惊恐说不定马上就会昏倒呢！

汤姆也很奇怪，卓伊为什么没有听出他的声音，跑过来杀死他，报他在法庭上作证的仇恨？

也许是洞里的回音使他听不出是汤姆的声音，或者是把汤姆的叫声误认为是警察前来逮捕他，才慌忙逃走的。

◉ 重 见 天 日

星期二下午已过，圣彼得堡镇的人们仍然在忧愁着。

因为失踪的两个孩子还没有找到，大家都为他们诚心诚意地祈祷，希望仁慈的上帝能够拯救这两个可怜的孩子。

可是从魔克脱尔洞并没有好消息传来，寻找的人们认为两个孩子已经无法找到，便各自回到他们的工作岗位上去了。

萨其尔太太由于忧伤过度，病倒在床上。莎丽姨妈的灰色头发，也白了很多。

那天半夜里，镇上的警钟忽然叮叮当当地大响起来。片刻之间，街上挤满了人群。

"起来，起来，孩子们找到了！"

人们像疯狂似的喊叫着，纷纷向河边跑去。

当他们看到汤姆和蓓琪坐着一辆敞篷马车驰过来时，一拥而上发出一阵又一阵的欢呼，然后，跟在车后浩浩荡荡地向镇上行进。

不久，那一行人到达了萨其尔大法官家。大法官的家里也挤满了人，于是，有的人抱着这两个孩子亲吻；有的人抚摸着他们的头；有的人握住萨其尔太太和莎丽姨妈的手，向她们致贺。小镇上灯烛辉煌，人们兴奋得谁也不想回家去睡觉。

莎丽姨妈高兴得不得了，萨其尔太太更不在话下。这时候，萨其尔大法官还在岩洞里带着少数人继续搜索着。萨其尔太太赶紧差人跑去把这个好消息告诉丈夫。但是那迷路的汤姆和蓓琪，到底是怎样从岩洞里逃出来的呢？汤姆躺在一张沙发椅上，面对着热心的听众，大事渲染地讲了出来。

原来，汤姆看到蓓琪累得睡着了，就拉着风筝线走过两条通路。一直到那条风筝线放到尽头无法再拉长正想往回走时，却一眼望见遥远的那边有一点好像是太阳的光亮。

汤姆就放下了风筝线摸索着向那点亮光爬过去，等他把头和肩膀钻出那个小洞时，赫然呈现在眼前的竟是那辽阔、滚滚的密西西比河！

幸亏这是在白天，如果是在夜晚的话，汤姆当然看不见那一点日光，也就不会探得那条出路了。于是他又顺着原路爬回来，把这个天大的好消息告诉了蓓琪。

可是，蓓琪由于极度疲乏再也不愿动弹了，尤其是由于汤姆曾经好几次叫她空欢喜而失望，她已不再轻信汤姆的话了。后来，经他百般解说，才使蓓琪勉强相信。

蓓琪半信半疑地被汤姆牵着手，在黝黑的岩洞里摸索前进，等到她看到那点亮光时，真是欣喜若狂。汤姆先钻出洞穴，然后再扶蓓琪出去。他们两个呆呆地坐在那里，流下兴奋的眼泪。

刚好那时，有两三个人划着一条船从那里经过，汤姆就大声向他们呼救，并且告诉他们经过的情形。那些人简直不敢相信他的话；因为他们所爬出来的那个小洞，离开山腰的洞口已经有五哩之远。于是船夫们让他们上了船，划到三个人中比较近的家，招待他们饱餐了一顿，然后让他们好好地睡上一觉，等到晚上才把他们送到镇上来。

● 歹徒的下场

汤姆和蓓琪在那岩洞里足足受了三天三夜的罪，现在虽然是平安地回来了，可是身心的疲乏短时间内无法恢复。

汤姆在床上躺了两天，第三天是星期四才勉强能够起来走动，星期五便到镇上去了，到了星期六才恢复了原状。

可是，蓓琪一直到星期日还是四肢无力，昏头昏脑，好像害了一场大病似的。

汤姆听说夏克病了，星期五就跑去看他，由于夏克患的是肺炎，道格拉斯太太不许他进去。

好在过了四五天，烧开始退了，才准许汤姆进去看他。因为医生一再叮嘱，不准他在病人面前讲些使病人兴奋的事，并且每次都有道格拉斯太太在一旁监视着，所以汤姆一直没有和夏克谈什么。

过了两个星期以后，汤姆听说夏克的身体已经恢复了健康，他恨不得马上把那些冒险的经过告诉他。这一天他正要去看夏克，途中经过萨其尔大法官的门口，就先进去探望蓓琪。刚好大法官和两三个朋友在家里，其中一个就半开玩笑地向汤姆问道："怎么样？你还敢不敢再走进那岩洞里呢？"

汤姆勇气十足地说："有机会的话，我倒还想再进去看看。"

萨其尔法官却笑着说："汤姆，像你这种天不怕地不怕的人一定不少，可是我已经想好对付的办法了，从此再也不会有人在里面迷路了。"

"那是为什么？"

"哼、哼，在两个星期以前，我就叫人在洞口安装上了铁的大门，上了三道锁，钥匙在我手上！"

"嘎！"汤姆蓦地脸色泛白，几乎昏倒过去。

"怎么了？汤姆，喂，你们赶快去端盆水来！"等水拿来，就往汤姆的脸上洒。

"好了，不要紧了，汤姆，你刚才怎么了？"

"啊——大法官，您不知道，那印第安人卓伊，还在洞里呢！"

一会儿，这消息就传开了。立刻就有十艘载满着人的船，向魔克脱尔洞驶去。

汤姆和萨其尔大法官同坐在一艘小艇上。

当人们把洞门的锁打开的时候，一幅悲惨的情景在那暗淡的光线下呈现出来。印第安人卓伊挺直地躺在地上，早已死去。他把脸紧贴着门缝儿，使人可以想象出他在临死的一刹那，还憧憬着外界的自由和光明。

汤姆见了也不禁动了怜悯的心，因为他根据自己的经验,知道这个歹徒一定是受了莫大的折磨和痛苦才死去的。可是另一方面,他自从在法庭上作证以来,一直闷在心里的恐怖和不安却一扫而空了。

印第安人卓伊那把猎刀还放在他身边,刀口已经有了裂痕。他大概是用那把猎刀来砍门底下那根垫脚的横木,横木虽然被他砍了一个缺口而且也凿穿了,可是因为门框外边有天然的岩石挡在那里,何况那门框也很窄小,即使没有岩石他也钻不出去。

那一带,在平时有游客丢下来的许多蜡烛头,可是现在连一截都没有,那一定是被饥饿难忍的卓伊,全吞下肚子里了。此外,他大概还抓了几只蝙蝠来充饥呢,因为有几只蝙蝠的爪子扔在地下。

这穷凶极恶的卓伊,除了罗宾逊医生以外还杀害过镇上另外四个人,他如果被抓到的话当然免不了死刑。但是他等不及被判死刑,竟活活地饿死在洞里了。如今,他的尸体就被埋葬在那洞口的附近。

● 找到了宝藏

在印第安人卓伊埋葬后的第二天早上,汤姆把夏克带到一个僻静的地方,想和他谈一件事情。夏克从钟斯老人和道格拉斯太太的口里,对于汤姆所经历的种种险境已经知道得清清楚楚,所以当汤姆还没有开

口的时候，他就满脸不高兴地说：

"你的事我都清楚，不必再谈了。同时，我也知道你已经到过那二号的房间，结果，除了一些威士忌酒之外什么也没有找到。虽然没有人告诉我，但是我想象得出那一定是你干的事。汤姆，真可惜，那笔财产我们无法弄到手了。"

"嘿，夏克，你说的什么话！我怎么会到那间旅馆去过呢？星期六晚上，我不是参加远足去了吗？是轮到你去看守的，你忘记了？"

"噢，对了，我怎么会忘记？那一天晚上，我一直跟踪着卓伊，到道格拉斯太太的住家那里。"

"什么？原来就是你跟踪他们的呀！"

"是的。"

"我怎么一点儿也不知道，夏克，快把那些经过情形告诉我。"

夏克把当天晚上的事讲给汤姆听了之后，又叮嘱他说：

"可是汤姆，你千万不要讲出去，卓伊虽然死了，那个穿得破破烂烂的同伴还没有抓到，万一……"

"那件事你倒不必担心，因为他那同伴的尸体就漂浮在渡船码头的附近，也许是因为他在夜间想溜走——不小心淹死了。"

"真的吗？"

"千真万确。不过夏克，你的功劳好大呀，如果不是你跟踪卓伊，道格拉斯太太将不知道要怎样了。"

"可是，道格拉斯太太并不知道那是我做的事。"

"为什么？"

"当卓伊和他的伙伴还活着的时候，我怕他们找我报仇，所以我特地请求威尔士老人替我保密。"

"哦！原来如此，现在你可以放心了。"

"可是那些财宝却落空了，好可惜呀！我猜想一定是被那没收二号房间威士忌酒的人，连那些财宝也一块儿带走了。"

"夏克，你不知道，那些财宝根本就没放在那二号房间里呀！"

"怎么？"夏克用那犀利的目光紧盯着汤姆的脸说，"难道，你又发现了什么新的线索了吗？"

"夏克，那些财宝就藏在那岩洞里呀！"

"嘎！"

夏克的眼睛亮了起来，说："汤姆，你是开玩笑？还是说真话？"

"谁还骗你？当然是真话。你肯不肯陪我去，把它搬出来？"

"我当然肯。不过，要是像你们上次那样，走进去出不来就糟了。"

"夏克，这一次你不必担心，绝没有问题的。"

"那好极了。可是,你怎么知道那财宝是放在岩洞里的?"

"你不要着急嘛!等以后我会告诉你的,要是找不到那财宝,我敢跟你打赌把脑袋输给你。"

"好吧!一言为定。可是,汤姆,什么时候去呢?"

"马上就走,不过,你的身体吃得消吗?"

"在洞穴里面要走很远的路吗?这几天我的身体虽然好些,但是四肢还是无力,恐怕一哩以上的路,我就走不动了。"

"假如由岩洞的大门进去路相当远,不过我知道有一条捷径。夏克,我们可以划船到那儿,可以少走好多的路。"

"那么,汤姆,我们就马上动身吧!"

"好的,不过我们要带些面包和牛肉干,另外还要带两个袋子和放风筝的线。"

"那样就够了吗?"

"最主要的,还是要多带蜡烛和火柴,上回我在岩洞里迷路时,因为缺少这些东西不知道有多害怕哩。"

中午稍过,两个孩子趁着船主不在,偷偷划出一条小船,马上出发了。

不久,他们到了离岩洞入口那块洼地约有几哩的下游时,汤姆指着说:

"夏克,你看!从那一排悬崖直到这里,都是一片矮树林，连一间房子也没有。可是，你可看见在那半山腰有块白色的地方吗？我就是从那里爬出来的。"

他们上了岸，就把小船系在那里。

● 十字架下

汤姆领着夏克穿过茂密的灌木林，迈开大步来到那个小洞前，很得意地说：

"夏克，就是这儿。它是这一带最秘密的洞口，你千万不要告诉别人，以后我们好常到这里来玩耍。"

两个孩子就爬进洞去。他们点起蜡烛系好风筝线，走了没多远就来到泉水那儿。汤姆回想起上回的事，不觉打了个冷颤。他指着石壁上用一块黏土黏住的烛心给夏克看，并且将他和蓓琪当时怎样盯着那蜡烛的火焰，直到它熄灭了的一刹那是如何感到绝望的情形，讲给夏克听。这时那四周阴沉寂静的气氛，使他们说话的声音不由得低了下来。

他们顺着上次所系的那条风筝线迅速地前进，来到通路的尽头又钻进另一条通路，当他们又走到那条通路的尽头，用蜡烛一照，赫然出现在眼前的是一座黏土斜坡的阶梯。

汤姆高举着蜡烛说："夏克，我指一样东西给你看。你看见右边远远的一角了吧？就在那块岩石上，有用蜡烛的油烟熏成的东西。"

"汤姆，那不是十字架吗？"

"谁说不是。你还记得不？卓伊说过放在十字架下的二号，夏克，那二号就是指这儿说的呀！我亲眼看到卓伊拿着蜡烛从那里探出头来的。"

夏克瞪着眼睛朝那神秘的符号望了一下，然后颤抖着声音说：

"汤姆，我们快出去吧！"

"怎么了？连财宝也不要了？"

"我觉得卓伊的阴魂一定还守在这里。"

"不会的，夏克，你不要胡思乱想！他是死在洞口的，离这里有五哩远呢！"

"可是你不是说过，埋藏宝物的旁边都有鬼魂在看守着吗？何况，他又是死得那样凄惨。"

被夏克这样一说，汤姆也有些胆怯了。他想起卓伊死时的悲惨样子，寒毛都竖了起来。但是，他犹豫了一下马上有了主意。

"嘿！夏克，我们真傻，那十字架是神的标帜，鬼魂哪敢躲到十字架的底下来！"

"嗯，汤姆，你这话说得有道理，我倒没想到这一点。"

夏克马上提起精神来。于是汤姆领先，夏克跟在后面，循着那黏土的斜坡阶梯走下去，就在那像盆底一般的地方有四段通路，汤姆和夏克搜查了三条，都一无所获。

后来在第四条通路的入口处，找到了一个用毯子铺着的床铺，那大概是卓伊睡觉的地方，地面上丢着两三只啃得很干净的鸡骨头，但在那儿并没有那只装财宝的箱子。

两个孩子一遍又一遍地搜寻，仍然一无所获，他们沮丧地坐了下来。

夏克什么主意也想不出来。汤姆寻思了一会儿说道：

"夏克，你看！岩石这一边的土地上有脚印和蜡烛油，再看那边却没有，这是什么道理？我敢和你打赌，那些财宝准是藏在这块岩石底下。我们来把这层土挖开看看！"

"汤姆，你想的真对。"夏克兴奋地说。

于是汤姆拿出刀子，马上动手挖起来，当他只挖到十五公分深，刀尖就碰上了硬东西。

"喂，夏克，你听到了声音没有？"

这时夏克也顾不得回答，就帮着干起活来。他们又挖了一会儿，就挖出几块木板，把木板一搬开，露出一个通往岩石底下的天然洞口。汤姆拿着蜡烛小心翼翼地钻进那洞口，夏克紧跟在他的身后。那里是一个很陡的斜坡，他们顺着那弯弯曲曲的道路，先往右，后往左。后来汤姆又转过一道短短的弧形路线上，忽然大声叫道。

"老天，果然在这里。"

一点儿也不错，就是那只箱子，放在一个凹进去的小石槽里，旁边有一个空火药桶、两支装在皮套子里的手枪，以及两三只印第安人的旧皮靴和一条皮带，另外还有一些乱七八糟的东西堆在那里。

"啊！我们真的弄到手了！"

夏克一边把手伸进那些财宝中抓来抓去，一边说：

"汤姆，这一下子我们可发财了！"

"夏克，我早就有预感一定找得到的，果然我们的苦心没有白费。"

"这大概不是做梦吧？"

"哪里，这是千真万确的事实。喂，我们别在这里耽搁了，赶快把它扛回去吧！"

"看起来好重呢！汤姆，你扛得动吗？"

那箱子足足有五十磅重，两人合力才能把箱子抬起来，但是走不多远就得休息一下。

"我早就料到了。"汤姆说，"那天在那间闹鬼的屋子里，连他们拿起来都像是很吃力的样子，好在我们带来了两个袋子。"

他们将箱子里的财宝分装在两个口袋里，各自提

着一个，然后拿到那熏有十字架的岩石那边去。夏克深深地舒了一口气，说：

"我们再去把那枪……什么的，都拿来吧！"

"不，夏克，先放在那里，等以后我们玩强盗游戏时再来拿吧！"

● 意外的邀请

他们很快就从小洞爬出来，立刻躲进灌木丛里，小心地往外望了一下，看到河边没有人才乘上小船。

两个人在船里吃了一些带来的点心，然后消磨了一段时光，到太阳西下才把船划离了河岸。汤姆一面轻快地划着船一面和夏克聊着，当他们回到镇上时夜幕已经降临了。

"喂，夏克。"汤姆说，"我看先把这些财宝藏在道格拉斯太太的柴火棚上吧！明天早上，我们再来点点数目两个人平分，然后再到树林里找个地方藏起来。"

"好的，就这样办。"

"我去宾尼·泰勒家借辆车子，一会儿就回来。你在这里看着，千万别动！"

汤姆去了一会儿拉着一辆车子回来，他们把那两个小口袋放在车上，再在上面盖上几块破布，就拉着车子走了。两个孩子走到威尔士老人的门口时，停下来休息。正当他们站起身来打算继续前进时，威尔士老人钟斯探出头来问道：

"喂，外面是谁呀？"

"是夏克和汤姆·索亚。"

"噢，是你们哪，你们到哪里去了？可让大家等坏了，我替你们拉车子快往前走吧！怎么？这车上看来只是一点东西，倒满有分量的，你们拉的是砖头瓦片还是破铜烂铁呢？"

"是破铜烂铁。"汤姆一本正经地说。

"我猜想也是破铜烂铁，这镇上的孩子就是不怕麻烦，宁肯花费许多时间找些废铁卖给工厂，一大堆也只卖到六七毛钱；要是干正经的事赚加倍的钱，也用不了那么多工夫啊！来，你们要赶快！"

两个孩子很想知道威尔士老人为什么这样着急，但他并不解释清楚只是说：

"你们不要管，到了道格拉斯家就知道了。"

夏克慌了，因为过去他常常被人无缘无故地责怪。

"钟斯先生，我们并没做什么坏事呀！"

"哈哈——夏克，你做了好事或是坏事，我也不知道。不过道格拉斯太太一向不是对你很好吗？"

"是的，道格拉斯太太向来对我都是很好的。"

"那么，你还怕什么呢？"

这个问题在夏克的迟钝脑子里还没有找到答案，他和汤姆就一起被人推进道格拉斯太太的客厅里去了。钟斯老人把车子放在门口，也跟着进来。

客厅里面张灯结彩，照耀得如同白昼，他们往四下里一看，小镇上稍有地位的人物都到齐了。那里有萨其尔、哈勃、洛杰斯的全家，莎丽姨妈、席德、玛莉也都来了，还有牧师和新闻记者，大家都穿着最讲究的衣服。道格拉斯太太亲切地接待这两个满身肮脏的孩子。

莎丽姨妈看到汤姆这副样子，难为情地皱起眉头，因为他们两个全身上下都沾满了黏土和蜡烛油。这时，钟斯老人向道格拉斯太太说：

"我找了半天都找不到他们，偏巧在门前碰到了。所以，我就赶紧把他们带到这里来了。"

"多谢您。孩子们跟我来吧！"

道格拉斯太太把他们带到二楼的卧室里。

"你们洗个澡，把衣服换下来吧！这里有两套衣服、衬衫、袜子，一套是钟斯先生买的，一套是我买的。不，夏克，你不必道谢。来，汤姆，这一套你穿起来一定合身。我们在楼下客厅等你们，收拾好了，就赶紧下来！"说完，她就出去了。

● 惊人的新闻

　　道格拉斯太太一下楼，夏克就和汤姆说：

　　"汤姆，帮我找一找房子里有没有绳子？窗户离地也不算高，我想用绳子溜走。"

　　"你真莫名奇妙，为什么要溜走呢？"

　　"咳，我跟那些人在一起真受不了，我不下楼去。"

　　"你怕他们做什么，跟我一起绝没有问题的。"

　　这时席德走上来，他说：

　　"汤姆，姨妈等了你一上午，玛莉也替你准备了一身干净的衣服等你，看你的身上沾满了黏土和蜡烛油，难道你又走进那岩洞里去了吗？"

　　"哼，席德，请你少管闲事！我问你，今天晚上大家都集合到这里来做什么？"

　　"这是道格拉斯太太请客，她总喜欢搞这一套。今天晚上，据说是为了酬谢钟斯老先生和他的两个儿子在那天晚上搭救她的那一件事，不过另外还有一件有趣的事。"

　　"嘎，什么有趣的事？"

　　"钟斯老先生，今天晚上要揭穿一桩令人惊奇的秘密；其实他那桩秘密很多人都知道了。"

　　"席德，到底是什么秘密？"

"就是夏克跟踪两个坏蛋到道格拉斯太太家附近的那件事，钟斯老先生还以为大家都不知道呢！"

"席德，是你把那桩秘密泄漏出去的吗？"

"管他是谁的呢？反正有人说就是了。"

"席德，我想就是你，你这个讨厌的坏东西！"

汤姆正想踢他两脚，席德赶快跑掉了。几分钟后，汤姆和夏克穿戴整齐走下楼来，于是大家就了位，宴会开始了。

钟斯老人站起身来致词，他首先感谢道格拉斯太太在这里招待他们父子三个人，他说这种厚意他实在不敢当，因为那一次的事件并不完全是他们的功劳。接着突然宣布他的秘密，他把夏克当天晚上在旅馆附近，怎么样怀疑坏人们的行动，怎么样跟踪，然后又前来向他报告道格拉斯太太危急的情形，详详细细地说了出来。

但是正像席德所说，他这秘密大家早就知道了，所以并没有引起太大的惊讶。当然，道格拉斯太太也是知道这件秘密，才特地举行这个宴会的。但是，她仍然佯装刚刚才知道的样子，一再地向夏克道谢后，又面向大众说道：

"在座的各位先生女士们，你们都知道先夫去世后并没留下孩子，我觉得这一次所发生的事，也是一种缘分，因此我决心收养这个孩子，使他受相当的教育，将来给他一笔钱教他做点生意。"

汤姆趁着这个机会，突然站起来说："不，夏克不需要您的钱，他自己有钱了。"

来宾们听了汤姆的话差点儿笑了出来，但是为了不使夏克难堪，大家都忍住了。汤姆接着又说："夏克真的已经有钱了，你们也许不相信，我可以拿来给你们看。"

说着他就往门外跑去，客人们怀着莫名其妙的心情互相望了一下，又用奇怪的眼光看着夏克，夏克窘得说不出话来。

莎丽姨妈弄得不知如何是好，她向身旁的席德说道：

"汤姆这个孩子不知又在搞什么花样，真是的……"

这时汤姆抱着两只沉重的口袋，跟跟跄跄地走了进来。

他把一大堆的金币和财宝，倒在桌子上说："你们看，我不是说谎吧！这些财宝一半是夏克的，一半是我的。"

看到满桌的金币，在座的人都愣住了。稍停，大家一致要求汤姆把这件事的原委说出来给大家听。

于是，汤姆就把自从他和夏克两个人立志寻宝的时候说起，顺便又把到闹鬼的房子去遇见了卓伊两个

人，以及跟踪到旅馆等紧张冒险的经过情形，滔滔不绝地说了出来。他这一段话虽然很长，但因为极有趣味，所以大家都听得入了神。汤姆讲完了之后，钟斯老人说：

"我本来以为我今天所发表的，一定是一桩令人惊讶的新闻，可是和现在汤姆说的这件事比起来，简直算不了什么。"

有人把这些金币点了一下，总计一万两千多个。在场的来宾，虽然有很多人拥有比这个数目更多的财产，可是，却没有一个人一次见过这么多的金币。

● 两个孩子的前途

汤姆和夏克发了横财的消息，在圣彼得堡这个贫穷的小镇上引起了极大的骚动。

因为，人们一听到了一万两千多个金币，简直都不敢相信，但是那确是铁的事实。

一瞬间，镇上的人们大家都放弃了自己的工作，拿着十字镐和铁锹，挖遍了附近一带所有闹鬼的屋子，为的是好搜寻一些埋藏着的财宝，但是好运并不是想有就有的。

汤姆和夏克自从这次之后，无论在什么地方出现，都受到人们的羡慕和欢迎；他们的一举一动都被认为很了不起，镇上的报纸还登载他们两个人的小传呢。

道格拉斯寡妇把夏克的钱以六厘的利息放了出去。萨其尔大法官也接受了莎丽姨妈的委托，把汤姆的钱照样处理。现在这两个孩子，每人每月的收入都和牧师的薪水差不多，这在一个孩子来说，当然是用不完的。

萨其尔大法官对汤姆非常器重，遇到了人就夸汤姆那孩子说：

"如果汤姆是一个平凡的孩子，他就绝没有办法把我的女儿从那岩洞里救出来，我看汤姆将来一定是一个了不起的人。"

同时，蓓琪又把隐藏在心底的秘密偷偷地告诉了父亲，就是汤姆在学校代蓓琪受过的那一件事。萨其尔大法官深受感动，赞不绝口地说：

"那是一种高尚、正义的谎言，和华盛顿砍樱桃树诚实招认，是同样值得钦佩的行为！"

他希望汤姆将来成为一个有名的律师或是伟大的军人，他将安排汤姆进军校，然后再到全国最好的法律学校去受教育，这样，好使他在两者之间选定一种做为终身职业。

另一方面，夏克则由道格拉斯太太收留，使他受教育。可是，过去流浪惯了的夏克却感到处处受到拘束。他每天不得不打扮得整整齐齐，又必须小心在意不能把衣服弄脏；进餐时也要有一定的时间，还不得不用刀叉、餐巾、杯子和碟子；更讨厌的是，他还要按时去学校念书，上教堂做礼拜；说起话来要斯文有礼貌，不能放肆。夏克硬着头皮忍受了三个礼拜的折磨，有一天忽然失踪了。

道格拉斯太太急得要命，到处寻找他，足足找了两天两夜，最后还派人到河里去打捞他的尸体，可是并无结果。倒是汤姆·索亚灵机一动，第三天一大清早，到那放在没人住的茅屋边的空桶去找，果然在一只空桶里把他找到了。

这放荡惯了的夏克，不久一定会过惯那文明的生活的。他在慈祥的道格拉斯太太细心抚养下，将会好好地长大成人。

世界少年文学精选

简·爱

孤女简·爱在备尝寄人篱下之苦后，毅然离家求学。学校的生活，使她领略了被爱和被辱的人间冷暖。在她以为幸福真正来临时，却又为一个疯女而远走他乡……

呼啸山庄

在暴风雨夜出走的赫斯克莱夫，三年后突然以富商的面貌再度出现。他为什么会回来？是旧情难忘？还是别有用心？呼啸山庄的人从此忐忑不安……

傲慢与偏见

富家子弟达西一出现在龙蟠村，立刻引起众人的兴趣。但因为他神情傲慢，使得聪慧美丽的伊丽莎白对他有了偏见，两人因重重误会险些错失良缘……

唐吉诃德

一个乡下地主，效法古代的骑士，周游各地，行侠仗义，异想天开地把风车当巨人，奋力与之拼命……他把幻想当成真实世界，到处惹事，闹出不少笑话，行径滑稽有趣。

战争与和平

从莫斯科到圣彼得堡，一片广大而美丽的俄罗斯风光尽收眼底。这儿的儿女亲情，将如何历经一场扭转命运的炮火？法国的拿破仑，能不能统治这一片土地呢？

巴黎圣母院

一个天使般美丽可爱的女婴，为什么变成了丑陋畸形的男婴？悲伤的母亲怎能忍受这悲惨的命运？十几年后，这个丑怪的罗锅子长大了，他如何面对围绕在身边的恩怨呢？

悲惨世界

服刑十九年的重刑犯，为什么能在一夕间洗净了罪恶的灵魂，重向光明？为了一个可怜的小女孩，他如何逃过警方的层层追缉，又陷身战火，代她寻回终身的幸福？

基度山恩仇记

十九岁就当上船长，即将步上红毯的有为青年，为什么突然被人陷害，沦入求生不能、求死不得的死牢呢？他将如何变成正义的化身，挺身主持这场善恶恩仇的公道呢？

苔丝

艰苦黯淡的乡村生活，蕴藏着少女的梦想、爱情和希望。十六岁的苔丝，在家人虚幻的期盼下，攀附豪门贵亲。她是跃身成为了幸福的贵妇人，还是从此坠入万劫不复的痛苦深渊？

红与黑

出身卑微的于连有一颗敏感的心，他凭着自己的才华跻身上流社会，但是内心深处却对这个阶层充满蔑视和仇恨。一封来自曾与他相爱的女人的信毁掉了他梦寐以求的前程，他在恼怒中向这个女人开了枪。等待于连的最终命运是什么呢？

欧也妮·葛朗台

贪婪狡猾的葛老头，视金钱为生活的惟一目标。他纯洁、善良的女儿琴妮，被凯馘家产的有心追求者包围，却爱上了身无分文的英俊堂弟。这在吝啬鬼家中将掀起何样的轩然大波？围绕葛家的一切财富争逐，谁赢了？谁输了？还是……

飘（上）（下）

美丽动人的思嘉是个无忧无虑、桀骜不驯的姑娘，以为自己想要的一切都能唾手可得。可她所爱的艾希礼却娶了别人，而真心爱她的瑞德却一再遭到她的冷遇。南北战争爆发使她一贫如洗，也使她在苦难中成熟起来。当她发现艾希礼并不值得她爱时，瑞德已离她远去……

天方夜谭

愤怒的国王下令搜罗全国的美女，聪明的谢廖莎讲了一千零一夜的故事，终于化解了这场干戈。你想听听这些世界上最神奇、最有趣、最充满智慧的故事吗？

茶花女

一个出身贫苦的美丽少女，被诱骗沦为妓女。当她遇到真心爱她的青年，决心好好做人时，社会大众却不同情她。她将如何寻求心灵的宁静与纯洁呢？

小妇人

四个个性截然不同的姐妹，在经历了一连串的生离死别与生活的磨炼后，在母亲爱心的教导下，终于脱去幼稚的外衣，发挥各自所长，成为成熟的"小妇人"。

爱的教育

一个十二岁的男孩，用他的心、他的爱，去关怀和注视身边的世界，发现这个社会实在太值得爱了。你想钻进这个男孩的心里，学学怎样去创造一个爱的世界吗？

海伦·凯勒传

一场突如其来的疾病夺去了海伦·凯勒的视觉和听觉，从此陪伴她的只有无边的黑暗与寂寞……但是安妮·苏利文的出现却改变了海伦·凯勒的一生，她开始向命运之神挑战！

鲁滨孙飘流记

狂风巨浪夺去了同船伙伴的生命，却又鬼使神差地把鲁滨孙从死亡边缘拯救回来。但是除了那艘破船他一无所有，在这人迹不至，野兽遍布的荒岛上，他该怎么活下去？

双城记

十八世纪末，法国巴士底狱被攻陷，贵族受审，人民汇成一片暴风雨般的革命浪潮。在纷纭复杂的社会动荡中，却有人毅然代替情敌走上断头台……

所罗门宝藏

一个是千里寻弟的男爵，一个是为父复仇的王子，仅凭一张三百年前的血图及狩猎师克达的帮助，以毅力与智慧终于越过杀人沙漠，战胜可怕的妖婆，得到最后胜利。

王子复仇记

丹麦国王死了，原来是其弟的阴谋。丹麦王子哈姆雷特，怎样避过杀父凶手的耳目，讨回事实的真相？他在复仇中又怎样失去了生活中本该拥有的快乐和生命呢？

罗密欧与朱丽叶

一个是心地善良的美男子，一个是纯洁如玉的好佳人，偏偏生长在积怨深重的两个大家族，这两朵初开的蓓蕾能不能扭转命运，终成眷属呢？

仲夏夜之梦

公爵的婚礼就要举行了，善良的雅典工匠要献一出戏。可是，两对青年男女的爱情风波还没平息，远来道贺的妖精王和王妃又不和。这一连串的麻烦，该如何摆平？

埃及艳后

埃及女王为了埃及的繁荣与罗马将军安东尼结盟。可惜安东尼与渥大维争霸失败自杀，女王为免受辱，也自己让毒蛇咬死。

三剑客

法国的安妮王后为了消弭英法间的冲突，把珍贵的钻石项链送给英国首相，不料却给自己带来危机。看十七岁的达太安如何与三剑客共同合作，安然送回钻石？

铁假面具

一对孪生兄弟，一个成为国王，一个却是囚犯；三个同生共死的剑客，一个拥护国王，两个拥立囚犯。他们虽有深厚的亲情和友情，却在命运的捉弄下，走向悲剧道路……

汤姆叔叔的小屋

善良、正直的汤姆叔叔，拥有一间小木屋和美满的家庭，但在奴隶制度下，却沦为商品般的黑奴；经历几番坎坷的折磨之后，他终于惨死在奴隶主的皮鞭下。

安妮的日记

如果安妮是一株迎着朝阳绽放的花朵，希特勒就是折花的恶魔。坚强的安妮逃得过他的伤害吗？她的家人、朋友和所有的犹太人在这场浩劫里又将会如何呢？

小公子

一个纽约贫民区的小孩，忽然变成英国大贵族的公子，并且成为伯爵和巨大财富的继承人。由于他的出现，使封闭多年的古老城堡再次展现蓬勃的生机……

秘密花园

年仅十岁的玛丽，在父母去世之后，远渡重洋到英国投靠舅舅。这个寂寞又孤僻的小女孩，在无意中发现了一个深锁了十年的秘密，荒废的花园却因此变成美丽的花园……

侠盗与军官

年轻英俊却身患绝症的罗朗是拿破仑手下的军官。在一次险境环生的冒险之旅中，为了军人的荣誉以及拿破仑将军的安危，罗朗英勇无畏，和劫匪斗智斗勇，却牵扯出一连串纠缠着爱情与侠义的故事。

勇敢船长

骄傲、任性的富家子豪文失足落入了海中。当他醒来时，天地早已变色。在陌生的渔船上，豪文逐渐发现了另一个世界中的纯朴、真诚和勇敢，他会因此改变自己吗？

福尔摩斯探案集

鹅肚子里藏着宝石，大学教授像猿猴一样爬行、攀缘、狂躁，神秘的跳舞小人，价值连城的皇冠上的绿玉竟不翼而飞……伦敦那条充满雾气的贝克街上住着的那位苍白严峻的侦探的神奇经历就是这样的。他和他忠实的医生朋友一起，经历了无数千奇百怪的案子。这真是个神奇、探险、快乐的大本营！

钢铁是怎样炼成的

保尔·柯察金小小年纪就投身了革命，战争中因受伤导致眼睛失明。但他依然以巨大的热情工作着，即使瘫痪在床，也拿起笔做武器，开始一片新的生活。

孤女努力记

孤女佩玲历尽艰辛，来到父亲的故乡，见到了富有、失明的祖父却不敢相认。为什么她不敢面对近在咫尺的亲情？她能不能获得原本属于她的幸福？

王子与贫儿

一个偶然的机缘，王子爱德华救了少年乞丐汤姆。他们本想交换一下衣服穿穿，没想到竟也交换了角色，深深体验了对方的生活方式。交换角色，到底是什么样的滋味呢？

劫后英雄传

勇敢的青年骑士因为触怒父亲而被逐出家门，在他失踪三年后突然又回到英国，协助理查王复位，最后得到父亲的谅解……

杜立德医生

喜爱动物又能和它们交谈的杜立德医生的诊所就像一个动物园，有会煮菜的鸭子、爱出主意的鹦鹉、机智过人的狗、爱哭的大鳄鱼等，每天都热闹非凡，趣事不断……

孤雏泪

一个孤苦无依的男孩，仅仅想多要一点儿稀饭，就被赶出孤儿院，开始了解人生。他遇见慈祥的老人，误闯小偷集团，又被阴狠的凶手绑架。他的命运究竟会如何呢？

童年·在人间·我的大学

阿辽沙很小的时候，父亲就去世了。他随母亲来到外祖父家中。暴躁的外祖父给阿辽沙幼小的心灵留下最初的创伤，但外祖母却让他体会到了爱的温暖。

外祖父破产后，阿辽沙被送出去做学徒，和贫苦的下层人民生活在一起，他在别人的指导下，与书交成了朋友，书籍为他打开一个崭新的世界。

阿辽沙怀着上大学的幻想来到喀山，但很快幻想就破灭了。他干过很多工作，进入了一所有着广阔天地的社会大学。

汤姆·索亚历险记

顽皮的鬼精灵汤姆和野孩子夏克，一同干出令人捧腹的妙事。马克·吐温活泼的笔法，把小男孩顽皮的样子描绘得十分逼真，连大人也爱看。

海底两万里

接二连三的海难事件，震惊了全世界。阿尤纳斯教授和助手康塞尔、鱼枪手尼德为了抓海怪竟被"鹦鹉螺"号的舰长尼摩软禁，并展开一段惊险的海底之旅……

金银岛

老船长的衣箱里有什么秘密？为什么会引来海盗的窥视？一批装扮成水手的海盗随船前往金银岛寻宝，宝藏却不翼而飞，莫非有人捷足先登？

格列佛游记

一场海难，使格列佛沦为小人国的俘虏，他到海岬找水，却成为大人国的摇钱树……格列佛将如何发挥能屈能伸的本事，适应这些不同形态、不同风俗习惯的生活呢？

小公主

集万千宠爱于一身的"小公主"，忽然沦为一文不名的小女佣。在残酷的现实考验下，她还能维持公主的风度吗？又是什么样的奇迹，令她重拾幸福呢？

苦儿流浪记

突然知道自己是个弃儿的卢米，被养父卖给跑江湖的艺人。在四处流浪的旅途中，他总希望有一天能找到亲生的父母；然而无常的世事，却一次次把他推向绝望的深渊……

地底旅行

脾气古怪的博士根据密码，与侄子展开惊险的地底旅行，活生生的太古植物、原始人、电气性光线等构成了玄奇的地底世界，在古代海兽的围困下，他们历经九死一生，才得以返回地面。

十五少年飘流记

十五名少年在暴风雨的袭击下，飘流到无人的荒岛上，凭着坚忍的意志力与过人的智慧，终于克服了恶劣的环境，安全返回故乡……

丛林奇谈（上）（下）

印度，一个遗失在丛林的婴儿，幸得狼的抚养，得以长大成人。他在经历各种森林生活的磨炼后，不仅掌握了森林中动物的语言和习性，而且还练就了健壮的身体，机敏的洞察力，善良的心灵，热爱群体之心，最后成为万兽之王。

野生的爱尔莎

作者乔伊在偶然的机会里，收养了一头野狮子——爱尔莎。他们快乐地生活在一起，仿佛一家人。文中处处洋溢着人和动物之间的关怀，温馨感人。

会飞的教室

假如教室是一架飞机，不就可以带着我们的好奇心和求知欲，去翱翔世界？假如你的想像力长着一对轻盈的双翅，就请你快飞入书中世界，分享他们的喜、怒、哀、乐吧！

黑箭

一支黑箭，在英格兰森林中飞着！一支黑箭，"嗖"地刺穿了贵族的胸膛！年轻的李察在一支黑箭鬼使神差的引领下，竟发现了自己不共戴天的仇人，也正是一支黑箭，牵出了一段美满的姻缘。

日光溪畔的雷碧嘉

雷碧嘉是一个爱幻想的女孩儿，父亲早逝，母亲无力抚养七个孩子。为了减轻家里的负担，并有机会受教育，雷碧嘉必须去投靠两位脾气古怪、难以相处的阿姨……

吹牛大王历险记

吹牛大王其实就是神秘骑士，他是一个勇敢而有智慧、富有爱心的骑士，他可以利用眼睛爆发的火星打野鸭，他可以骑着空气马在天空中漫游，他还有一次乘着鸵鸟去了火星呢。在数星星的夜晚，月亮已经升起来了，这时候，就请你跟着我们的神秘骑士一起开始想像之旅吧……

好兵帅克

战争要爆发了！一战的导火索——萨拉热窝暗杀事件后，当局和老百姓有何反应？曾当过兵的帅克从被怀疑到辗转开赴前线，开始了他的军旅奇遇——常被上司骂为"白痴"，却又深受人们喜爱并得到提拔，到底发生了什么事？

大战火星人

书中讲了这样两个故事：

时间旅行家发明了时间机器，坐上它可以任意到过去年代或遥远的未来漫游。他第一次旅行到了几百万年后的未来世界，发现人类已经分化成地上人和地下人两种：地上人都像童话中的漂亮娃娃，地下人却如妖魔，而且，地上人是地下人的食物……

火星上的能源快耗尽了，火星人称圆筒状飞行器降临地球，给地球人带来前所未有的灾难。没有人能抵挡他们，人们呼天天不应，叫地地不灵……

八十天环游地球

福格先生和朋友们打赌，说他能在八十天内环游地球一周。他说干就干，当天就带着新雇的仆人路路通上路了。当时银行刚发生过巨款丢失案，于是人们怀疑是福格干的，侦探费克斯一路紧盯着他，给他制造了无数的麻烦。就在历尽艰难曲折的福格先生接近成功的顶点时，费克斯逮捕了他。看来他是输定了……

希腊神话故事

想像一下，如果神和人结婚，他们的后代会是什么样子呢？怎样才能杀死长着九个头的妖怪呢？怎样才能让长着一百只眼睛的神全部闭上眼睛安然入睡？

多少悲欢离合、善恶美丑，在古老的希腊大地上演绎、弥漫。走近希腊文明这枝绚丽的奇葩，你会更深刻地明白什么是智慧、真理、挚爱……

隐形人

书中有两个精彩故事：

科学家格里芬又有才又刻苦，但他的研究成果和他的个人理想却让人毛骨悚然——他研制出了隐身药水，自己变成了隐形人，他偷窃、打人、杀人，还要建立一个恐怖的王朝……正直的人们该怎样对付这样的怪物呢？

威廉的父亲配制出隐身药水和解除隐身的药水。威廉向米拉求婚遭到拒绝，他使用隐身术来报复米拉和她的新婚丈夫。米拉失踪了……

白鲸

恶名昭彰的白鲸莫比·迪克，经常在海上兴风作浪，夺去了无数捕鲸人的生命。亚哈船长也在一次捕鲸中，被莫比·迪克咬掉一条腿，从此他发誓不杀死白鲸绝不罢休。